なぜ？を考える力がつく

東京

科学館めぐり

SCIENCE MUSEUM TOUR
OF TOKYO

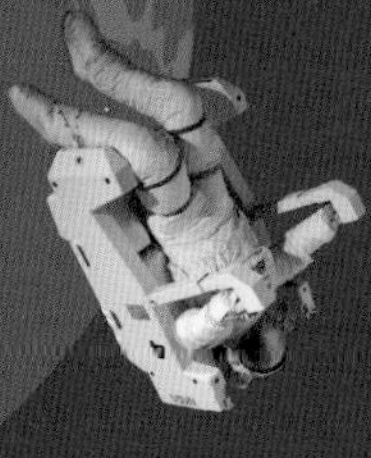

GB

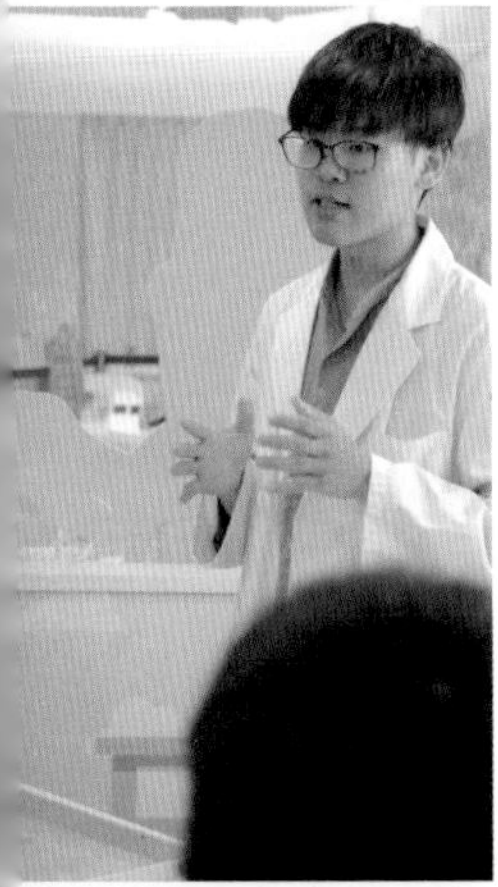

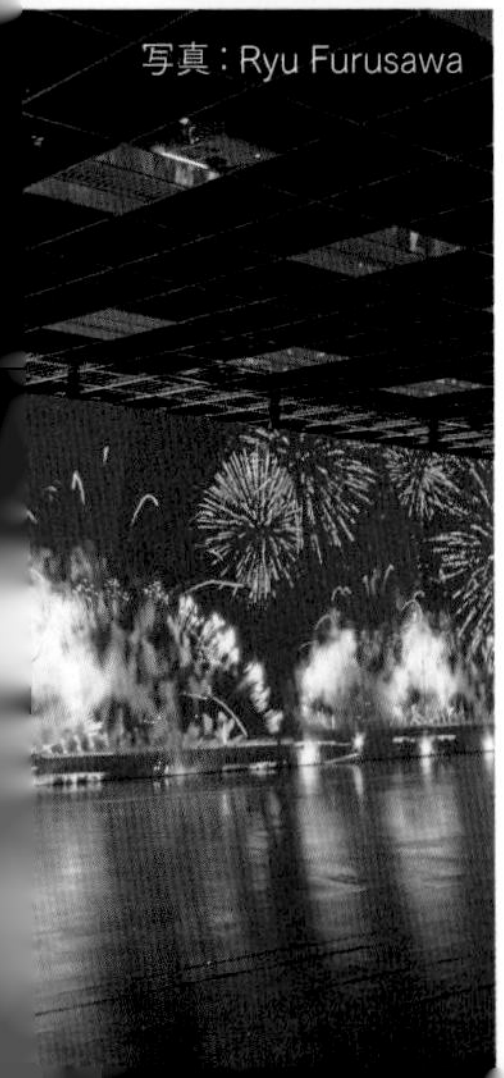

写真：Ryu Furusawa

科学館は身近なふしぎを「わかった!」に変える知的探訪の入り口。

子どもの頃、「海はどうやってできるんだろう?」「雲は何でできているんだろう?」「どうして遠くの人とお話しができるんだろう?」「セミはなんでうるさいんだろう?」とふしぎに思ったことはありませんか? そしてその答えやしくみがわかったとき、「そうなんだ!」という驚きや感動がありませんでしたか? 大人になってなんとなくわかった気になってしまったことも、子どもたちにはふしぎなことが身のまわりにたくさんあります。

「なんで?」

﹀

「わかった!」

﹀

「楽しい!」

﹀

「もっと知りたい!!」

というステップを踏むことで、お子さんの科学に対する好奇心はどんどん広がっていきます。科学館や科学博物館はそんな身近な「なんで?」「どうして?」に応えてくれたり、新しい「?」のヒントをくれたりする場所です。

本書では、物理・宇宙・生物・工学・農学・薬学・地学・食品など身近なジャンルの科学に触れられる施設を約80館ご紹介。さらに、「科学館からの挑戦状」というクイズを各館から出題しています。ただし、答えはこの本には載っていません。ぜひ実際に施設に行ったり、お子さんと一緒に考えたり調べたりして答えを探してみてください。そして「なんで?」が「わかった!」になる体験を通して、「科学って楽しい!」という好奇心のタネがひとつでも芽生えてくれたら幸いです。

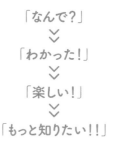

BOOSTER
4

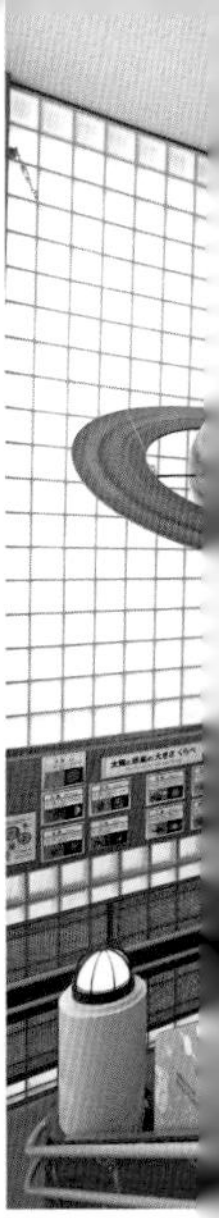

NIPPON

なぜ?を考える力がつく

東京 科学館めぐり CONTENTS

シミュレーションは

茨城県

千葉県

埼玉県

巻末特別企画

本書の見方

4 DATA の見方

施設名

- 所在地
- 電話番号
- 開館時間
- 休館日
- 入館料
- 対象年齢
- 交通アクセス（自動車の場合）
- 交通アクセス（電車・バスの場合）
- イベント予約について
- 公式ウェブサイト

QRコード

1 紹介する施設の見どころを写真と文章で紹介。展示物やイベントの紹介、施設の楽しみ方など、ポイントを解説します。

2 行く前に知っておくともっと楽しめる情報を紹介。おすすめのミュージアムグッズやメニュー、周辺情報などをチェックしておきましょう。

3 施設の展示内容やイベント内容などに関するクイズを出題。本書の中には答えは載っていません。ぜひ「ヒント」にある展示場所に行って、答えを確認してみてください。

5 施設のサービス等についての情報です。該当する場合は色がついています。

- ベビーカーでの観覧可、もしくはベビーカー置き場あり
- 館内のレストランなどの食事スポットの有無
- 駐車場の有無
- イベントの有無

該当しない場合は左のように色が薄くなっています

※休館日、開館時間、料金等についての詳細は、必ず事前に公式サイトをご確認ください。
※予約制の入場となっている施設もありますのでご注意ください。
※本書に掲載している休館日は夏季・冬季・GW などの長期休暇および年末年始を除いたものです。
※各施設の開館時間は季節や天候により変動することがあります。
※施設によっては、団体や学生割引など各種割引があります。詳細は公式サイトをご確認ください。
※本書の情報は 2023 年 10 月現在のものです。本書の発売後、予告なく変更される場合があります。
お出かけになる前に、各施設の公式サイト等をご確認ください。

PART 1 上野～渋谷

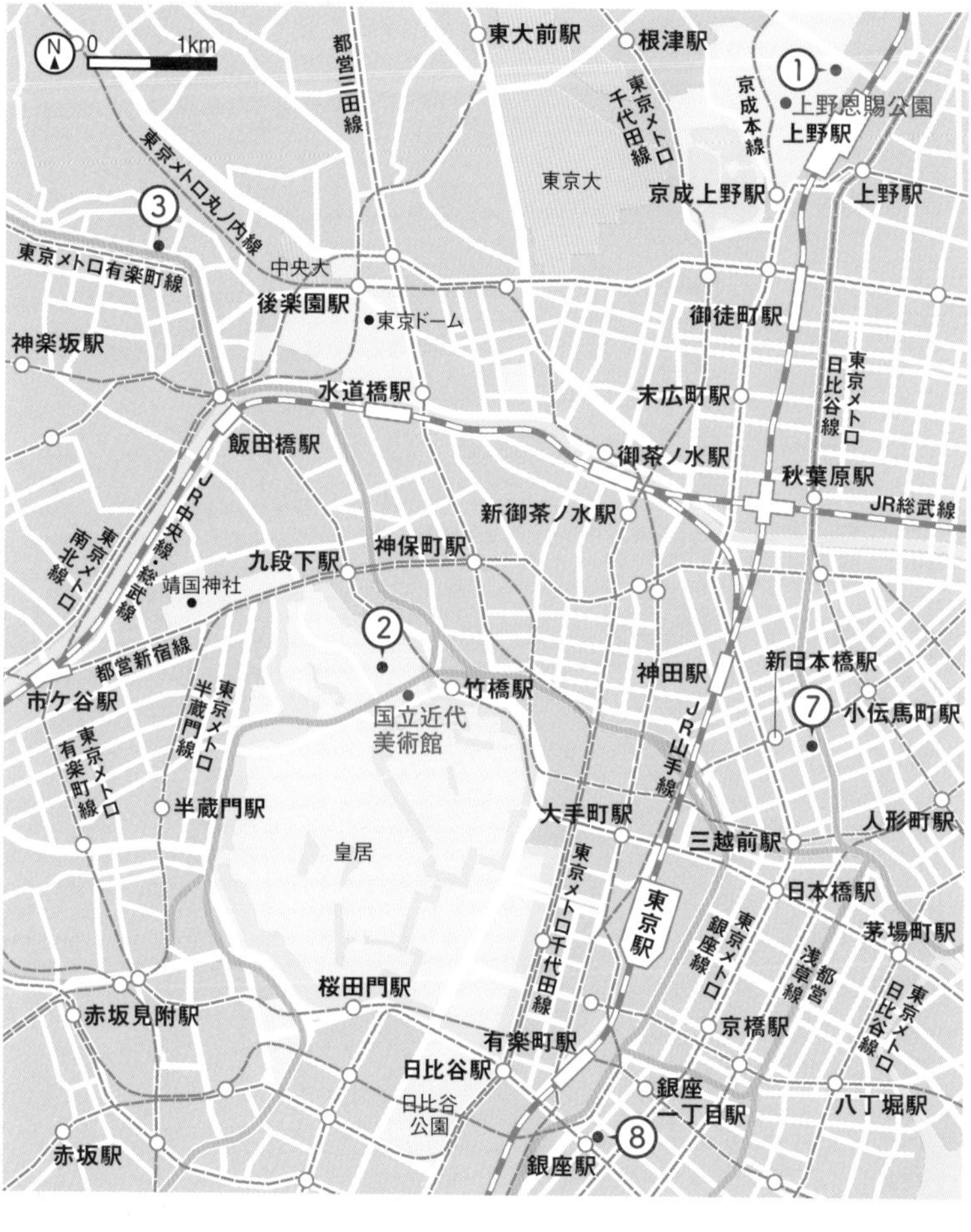

N
0
1km
東大前駅
根津駅
都営三田線
東京メトロ千代田線
京成本線
①
上野恩賜公園
上野駅
東京大
京成上野駅
上野駅
東京メトロ丸ノ内線
③
東京メトロ有楽町線
中央大
後楽園駅
東京ドーム
神楽坂駅
御徒町駅
東京メトロ日比谷線
水道橋駅
末広町駅
飯田橋駅
御茶ノ水駅
秋葉原駅
JR総武線
JR中央線・総武線
東京メトロ南北線
新御茶ノ水駅
九段下駅
神保町駅
靖国神社
②
都営新宿線
市ケ谷駅
東京メトロ半蔵門線
竹橋駅
国立近代美術館
神田駅
新日本橋駅
⑦
小伝馬町駅
JR山手線
東京メトロ有楽町線
半蔵門駅
大手町駅
人形町駅
三越前駅
皇居
日本橋駅
東京駅
東京メトロ千代田線
東京メトロ銀座線
都営浅草線
茅場町駅
東京メトロ日比谷線
桜田門駅
赤坂見附駅
京橋駅
有楽町駅
日比谷駅
銀座一丁目駅
日比谷公園
八丁堀駅
⑧
赤坂駅
銀座駅

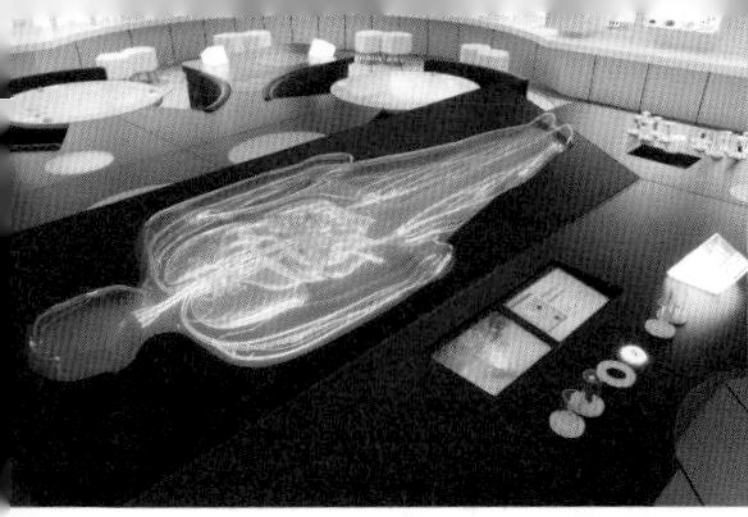

0 500m
⑤
東向島駅
向島百花園
明治通り
隅田川
東武スカイツリーライン
京成押上線
曳舟駅
京成曳舟駅
とうきょうスカイツリー駅
⑥
押上駅
東武亀戸線
都営浅草線
東京スカイツリー
浅草通り
④
春日通り
東京メトロ半蔵門線
錦糸町駅
JR総武本線

小田急小田原線
千駄ケ谷駅
信濃町駅
表参道駅
JR中央線・総武線
参宮橋駅
表参道駅
赤坂見附駅
永田町駅
明治神宮
明治神宮野球場
赤坂御所
⑪
国会議事堂前駅
国立オリンピック記念青少年総合センター
青山一丁目駅
赤坂駅
溜池山王駅
東京メトロ南北線
代々木公園
原宿駅
外苑前駅
東京メトロ銀座線
東京メトロ千代田線
明治神宮前駅
青山通り
虎ノ門ヒルズ駅
東京メトロ副都心線
表参道
乃木坂駅
東京ミッドタウン
六本木一丁目駅
⑨⑩
JR山手線
表参道駅
都営大江戸線
麻布通り
東京メトロ千代田線
六本木駅
神谷町駅
東京メトロ半蔵門線
東京メトロ銀座線
東京メトロ日比谷線
外苑東通り
東急田園都市線
青山学院大
六本木通り
東京メトロ日比谷線
東京タワー
渋谷駅
神泉駅
⑫
京王井の頭線
麻布十番駅
0 500m

科学総合

国立科学博物館

肉食恐竜のティラノサウルスと植物食恐竜のトリケラトプスが対峙するユニークな構図。白亜紀にタイムスリップしたようだ。

感性を育む宝庫！
国内最大級の博物館

唯一の国立の総合科学博物館として歴史のある「国立科学博物館」。国内外の貴重な標本や資料を５００万点以上収蔵し、そのうちの２万５０００点を展示している。建物自体が国の重要文化財で、日本列島の自然と私たちをテーマにした「日本館」と、地球生命史と人類をテーマとした「地球館」に分かれる。

地球館では、地下1階のフロアいっぱいに広がる恐竜の世界は見逃せない。しゃがんだ姿勢で復元されたティラノサウルスなど、今にも動き出しそうな恐竜の標本がところせましと並んでいる。

1

2

3

さらに地球館3階には100体以上のほ乳類のはく製が立ち並び、その存在感に圧倒されるだろう。1体1体の動物の表情や角、足に注目して見てみると、何か発見があるかもしれない。「大きい！」「かっこいい！」「こわい！」など感性を刺激されたら、ぜひ親子で共有してほしい。

1 恐竜が一堂に並ぶ姿は大迫力。展示室全体が非日常的な空間になっている。**2** 国立科学博物館に寄贈された約400点の「ヨシモトコレクション」のうちの数十体を展示。**3** 館内各所で子フクロウ「アウレット」が紹介する見どころにも注目して見てみよう。

1 「地球史ナビゲーター」では138億年を映像と資料で一望する時間の旅へ。
2 「ハチ」のはく製。ミュージアムショップではハチのぬいぐるみも人気。

決められた順路のない「自由動線」をコンセプトとしている地球館だが、1階の「地球史ナビゲーター」は最初か最後に見るのがおすすめ。宇宙の誕生から現代までの壮大な物語をアニメーションで見ることができ、展示を見る前の導入や見終わってから親子で会話するきっかけになるはずだ。

日本館の中では、日本の化石好きな高校生が最初に発見したという「フタバスズキリュウ」は必見。高校生が見つけた化石の一部を皮切りに大規模な発掘が行われ、その数十年後に新種とわかったという。

また渋谷の「忠犬ハチ公像」のモデルとなった「ハチ」の存在は意外と知られていない。日本館2階には秋田犬「ハチ」が生前の凛々しい表情で佇んでいる。「ハチ」は2023年11月に生誕100周年。

国立科学博物館のシンボル的存在である「フタバスズキリュウ」の復元骨格標本。日本で産出された首長竜の一種だ。

国立科学博物館からの

挑《ちょう》戦《せん》状《じょう》

Q.1

地球《ちきゅう》が誕生《たんじょう》したのは何年前《なんねんまえ》でしょう?

ヒントはここ!

地球館《ちきゅうかん》1階《かい》「地球史《ちきゅうし》ナビゲーター」

Q.2

秋田犬《あきたいぬ》ハチのはく製《せい》のすぐ近《ちか》くにいる、南極調査《なんきょくちょうさ》で活躍《かつやく》した「ジロ」の犬種《けんしゅ》は?

ヒントはここ!

日本館《にほんかん》2階《かい》

Q.3

下《した》の写真《しゃしん》は1万《まん》8000年前《ねんまえ》の人類《じんるい》がつくった家《いえ》を復元《ふくげん》したもの。何《なに》を使《つか》ってつくられている?

ヒントはここ!

地球館地下《ちきゅうかんちか》2階《かい》「人類《じんるい》の進化《しんか》」

写真提供:国立科学博物館

DATA

国立科学博物館

こくりつかがくはくぶつかん

- 東京都台東区上野公園7-20
- 050-5541-8600(ハローダイヤル)
- 9:00~17:00(入館は16:30まで)
  平均観覧時間:半日~1日
- 月曜(祝日の場合は開館、翌日休館)、くん蒸期間(6月下旬頃)
- 大人630円、高校生以下・65歳以上無料
  (特別展の料金はその都度異なる)
- どなたでも
- JR上野駅(公園口)から徒歩5分
  東京メトロ銀座線・日比谷線上野駅(7番出口)から徒歩10分
  京成線京成上野駅(正面口)から徒歩10分
- 一部のイベントは事前予約が必要
- https://www.kahaku.go.jp/

おすすめポイント

お食事スポット

写真提供:国立科学博物館

地球館の中2階にあるレストラン「ムーセイオン」。窓際の席からは1階展示室を眺められる。特別展やシーズンによって内容が変わる「キッズプレート」が人気。

科学技術館

30台のカメラで自分の姿を360度から撮影。よく知っているはずの姿がいつもと違って見えてくるはずだ。

電気・光・水・音など
身近な科学が集結

皇居外苑の北の丸公園内にある「科学技術館」。建物の2階から5階までの中で光や水、音、電気、数学、化学、物理、天文などさまざまな分野の科学技術や産業技術に関する展示を行う。展示物を実際に触ったり動かしたりしながら、科学のしくみを学べるような体験型展示が多くあるのが特徴だ。

5階「サウンド」ブースにある「ジャンボ・ピアノ」は鍵盤を踏むと音が出るとともに、それに応じた色・かたち・大きさの波が目の前の大きなモニターに映し出される。体を動かしながら音が波であることが目で見てわかるしくみになっているのだ。

1

2

3

1 しゃぼん玉の中に入ることができる「でっかいしゃぼん玉」。わずかな風で揺れる不思議な膜を観察できる。**2** 重い鉄球を「てこ・滑車・斜面・ねじ」などの原理を使って運んでいく。**3** エコドライブを体験できる「タウンドライビング」。

おすすめポイント

ミュージアムグッズ

1階のショップでは「触れる図鑑コレクション つかめる水」（1100円）などの実験キットを購入でき、家庭でも科学を楽しめる。

4階「建設館」の吹き抜け空間に設置された「タワークレーン」。ボールをクレーンで運ぶ操縦は、小学生から可能。

4階「建設館」にある巨大な「タワークレーン」では、操縦席の操作レバーを使って頭上のボールをバケットでつかみ、ゴールまで運ぶゲームを体験できる。制限時間内にどのくらい作業が進んだかを競うことで、クレーン技術のしくみや役割を楽しく学べるのだ。ゲーム感覚で取り組める体験展示が多く、大人も子どもも夢中になってしまうはず。

　また、館内のいくつかのブースでは時間ごとにワークショップや実験ショーなども開催。カメラやプリンター技術の元となる光の色のしくみがわかる実験など、身のまわりにあふれる科学を実感できる内容となっている。整理券が必要な場合もあるので、来館前にチェックしておこう。

科学技術館からの

挑《ちょう》戦《せん》状《じょう》

Q.1

下《した》の写真《しゃしん》を見《み》ると体《からだ》が勝手《かって》に動《うご》くのはなぜ？

ヒントはここ！

5階《かい》イリュージョンA展示室《てんじしつ》「うずまきシリンダー」

Q.2

クルマはリサイクルされるとどんなものに生《う》まれ変《か》わるでしょうか？

A：トートバッグ　B：プラスチック容《よう》器《き》　C：新《あたら》しい車《くるま》の部品《ぶひん》

ヒントはここ！

4階《かい》G棟《とう》「クルマのほとんどがリサイクル！」

Q.3

テレビやスマホの画面《がめん》は実《じつ》は3つの色《いろ》でつくられています。赤《あか》と、青《あお》と、もう1つは何色《なにいろ》でしょう？

ヒントはここ！

5階《かい》オプト「虹《にじ》のしずく」

DATA

科学技術館

かがくぎじゅつかん

- 東京都千代田区北の丸公園2-1
- 03-3212-8544
- 9：30～16：50（入館は16：00まで）
平均観覧時間：2時間
- 休 水曜、不定休
- ¥ 大人950円、中学・高校生600円、子ども（4歳以上）500円
- どなたでも
- 東京メトロ東西線竹橋駅（1b出口）から徒歩7分
東京メトロ東西線・半蔵門線・都営新宿線九段下駅（2番出口）から徒歩10分
- 一部のイベントは事前申込が必要
- https://www.jsf.or.jp

1 2 有料ワークショップ「レーザーオリジナル定規」づくり（土日限定）はパソコンを使ってデザインを行い、レーザー加工機で印刷する。

技術

印刷博物館

エントランスには世界中のさまざまな象形文字が刻まれたモニュメントがある。印刷文化を知るきっかけとなるだろう。

触って楽しみながら活版職人気分に

TOPPANの本社ビル内にある「印刷博物館」。展示室の中のガラス張りの部屋は、デジタル化される前の印刷の原点を学ぶことができる印刷工房になっている。実際に触って楽しめる展示物がたくさんあるのが、この博物館の特徴の1つ。

　また、各種のイベントも人気を集めている。活字や印刷機をめぐる見学ツアーや、自分で活字を集め印刷まで行う活版印刷体験のほか、毎年夏休みにはノートをつくったり、ハガキに名前を印刷したりする体験教室を開催。「昔の印刷はこんなに大変だったんだ！」と驚くこと間違いなしだろう。つくった作品は持ち帰ることができるので、夏休みの自由研究にもぴったりだ。

　ハンコのように逆さ文字の状態のひらがな活字をお題の言葉通りにあてはめていく「活字パズル」は、遊びながら活字とは何かを知ることができる。昔の活版職人になった気分で印刷の仕事を追体験してみよう。印刷物への見方が変わるかも。

おすすめポイント

ミュージアムグッズ

印刷博物館のお宝の１つである駿河版活字（重要文化財）を模した駿河版活字シュガー。活字の特徴がよく再現されている。

1 2

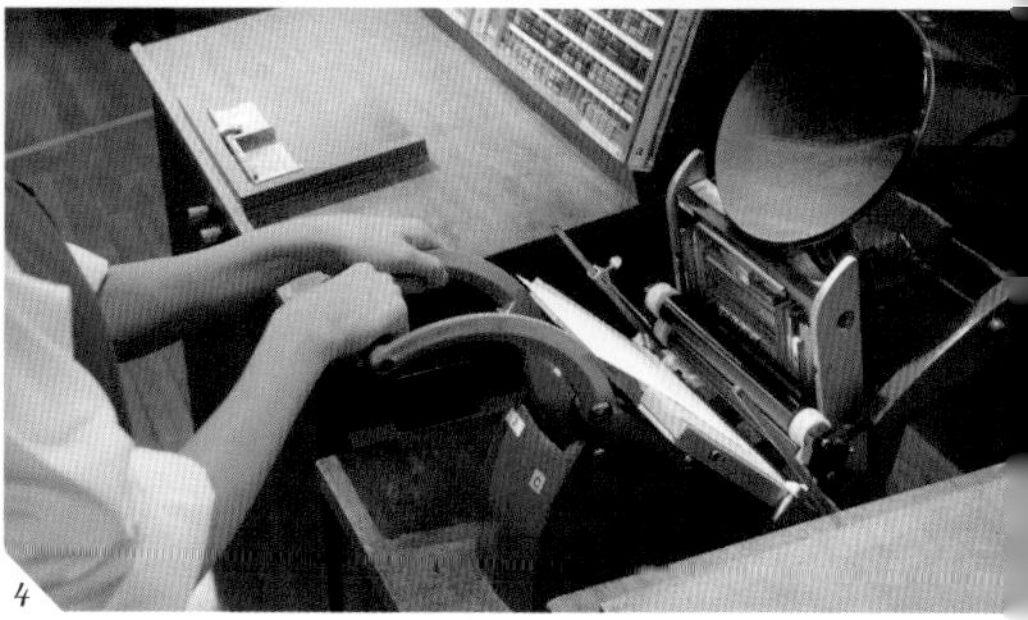

3 4

1 活字パズルはひらがなが読めれば小さい子どもでも楽しめる。「ち」と「さ」が特に間違いやすい。
2 印刷の歴史、印刷技術の発展を紹介。**3** **4** 昔の活版印刷を見学・体験できる印刷工房。

DATA

印刷博物館

いんさつはくぶつかん

- 東京都文京区水道1-3-3 TOPPAN小石川本社ビル
- 03-5840-2300
- 10：00～18：00（入館は17：30まで）
  平均観覧時間：1時間30分
- 休 月曜（祝日・振替休日の場合は開館、翌日休館）、展示替え期間
- ¥ 大人400円、学生200円、高校生100円、中学生以下および70歳以上は無料
- 小学生
- 東京メトロ有楽町線江戸川橋駅（4番出口）から徒歩8分
  JR総武線飯田橋駅（東口）から徒歩13分
  東京メトロ有楽町線・東西線・南北線・都営大江戸線飯田橋駅(B1出口）から徒歩13分
  東京メトロ丸ノ内線・南北線後楽園駅（1番出口）から徒歩10分
- 一部のイベントは事前web申込が必要
- https://www.printing-museum.org/

印刷博物館からの

挑《ちょう》戦《せん》状《じょう》

Q.1

印刷《いんさつ》された本《ほん》で世界一《せかいいち》小《ちい》さいもの、大《おお》きさはどのくらい？

ヒントはここ！

プロローグ「マイクロブック『四季《しき》の草《くさ》花《ばな》』」

Q.2

カラフルな浮世絵《うきよえ》の印刷《いんさつ》はいくつ色《いろ》を重《かさ》ねているでしょう？

ヒントはここ！

印刷《いんさつ》の日本史《にほんし》（近世《きんせい》）「06 江戸《えど》で成熟《せいじゅく》した印刷《いんさつ》・出版《しゅっぱん》」

防災

東京消防庁 本所防災館

模擬災害といっても迫力は本物級。歩けないほどの暴風雨や視界をさえぎる煙に災害のこわさと、非常時の対応を学ぶ。

地震や暴風雨を体感
こんなときどうする？

「そうなったとき」を知っておきたい非常時。本所防災館は、地震、火事、暴風雨、火災などの模擬災害を通して、防災知識や、イザというときの行動力を高めるための体験学習空間だ。地震体験コーナーでは、屋外やコンビニを想定した本物そっくりの大きな揺れの中へ。暴風雨体験コーナーでは、そのすさまじさを知るとともに、強風や大雨に関する知識を身につけることができる。

　親子で防火服を着て放水体験の記念撮影ができるイベントや、夜間の災害を想定したナイトツアーなども。イベントではわかりやすい説明、記念品も人気。

1

2

1 小さい子どもでも楽しめる防災ゲーム。
2 防災シアターは実写、アニメ CG、VR など多彩な映像で親しみやすい。

DATA

東京消防庁 本所防災館
とうきょうしょうぼうちょう ほんじょぼうさいかん

- 東京都墨田区横川4-6-6
- 03-3621-0119
- 9：00〜17：00
  平均観覧時間：1時間45分
- 休 水曜・第3木曜（祝日の場合は開館、翌平日休館）
- ¥ 無料
- どなたでも
- JR総武線・東京メトロ半蔵門線錦糸町駅（4番出口）から徒歩10分
  東京メトロ半蔵門線・東武スカイツリーライン・京成押上線・都営浅草線押上駅（B1出口）から徒歩10分
- 体験コーナーは予約が必要
- https://tokyo-bskan.jp/bskan/honjo/

東京消防庁 本所防災館からの

挑《ちょう》 戦《せん》 状《じょう》

Q.1

災害《さいがい》の危険度《きけんど》がわかる地図《ちず》の名前《なまえ》は？

ヒントはここ！

3階《かい》「防災《ぼうさい》ライブラリー」

Q.2

救急車《きゅうきゅうしゃ》を呼《よ》ぼうか、自分《じぶん》で病院《びょういん》に行《い》こうか迷《まよ》ったときの電話番号《でんわばんごう》は？

ヒントはここ！

2階《かい》「119番通報《ばんつうほう》コーナー」

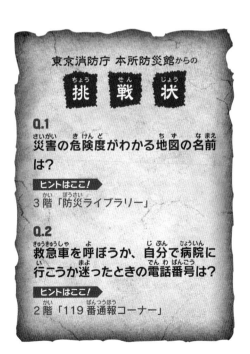

技術

東武博物館

シミュレーションは
運転される方が
おならびください。

東武本線・東上線の運転シミュレーションは未就学児も体験可能。フルハイビジョンの映像とともに運転を体験できる。

見て・触れて・体感できる鉄道博物館

東向島駅のホーム下に位置する「東武博物館」では、その立地を生かし実際に走っている電車の車両やモーター、ロングレールの伸縮継ぎ目などを至近距離から観察できる。

　また、東武鉄道開業当初の蒸気機関車や電車、電気機関車のほか、日光・鬼怒川方面への観光の足として活躍した特急電車など、12両の実物車両を展示。1日4回行われるSLショーは人気のアトラクションだ。

　さらに、一部の車両では中に入って座り心地を体感できたり、電車運転シミュレーションでは実物の運転席に座ってハンドル操作を楽しめたりと、実際に体感することで深い学びが得られるしかけが盛りだくさん。よりうまく運転するための方法を考えてトライすることを通じて、自己成長に必要なスキルも学ぶことができる。運転指導員によるアドバイスもあるので、ぜひチャレンジしてみよう。

おすすめポイント

ミュージアムグッズ

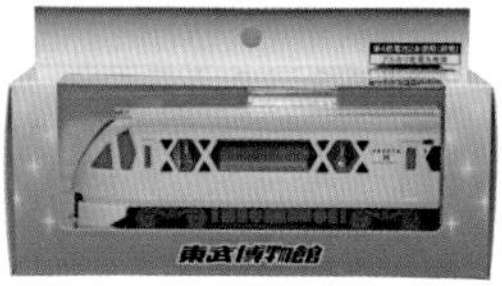
東武博物館

新型特急「スペーシアX」の先頭車の形をした目覚まし時計。車内チャイムや車内放送の音声などのアラームが設定できる。

東武博物館からの

挑《ちょう》戦《せん》状《じょう》

Q.1

鉄道《てつどう》の信号《しんごう》、黄色《きいろ》が2つ点《つ》いているときの制限速度《せいげんそくど》は何《なん》km?

ヒントはここ!

「安全快適《あんぜんかいてき》にはこぶ」の「ポイントとシグナル」

Q.2

5号《ごう》蒸《じょう》気《き》機《き》関車《かんしゃ》の車輪《しゃりん》は全部《ぜんぶ》でいくつ?

ヒントはここ!

「東武《とうぶ》の幕開《まくあけ》けコーナー」の「5号蒸《ごうじょう》気機関車《ききかんしゃ》」

DATA

東武博物館

とうぶはくぶつかん

- 東京都墨田区東向島4-28-16
- 03-3614-8811
- 10:00〜16:30(入館は16:00まで)
平均観覧時間:1時間
- 休 月曜(祝日・振替休日の場合は開館、翌日休館)
- ¥ 大人200円(交通系電子マネーの場合)、子ども(4歳〜中学生)100円
- どなたでも
- 東武スカイツリーライン東向島駅から徒歩1分
- イベントは予約不要
- https://www.tobu.co.jp/museum

1

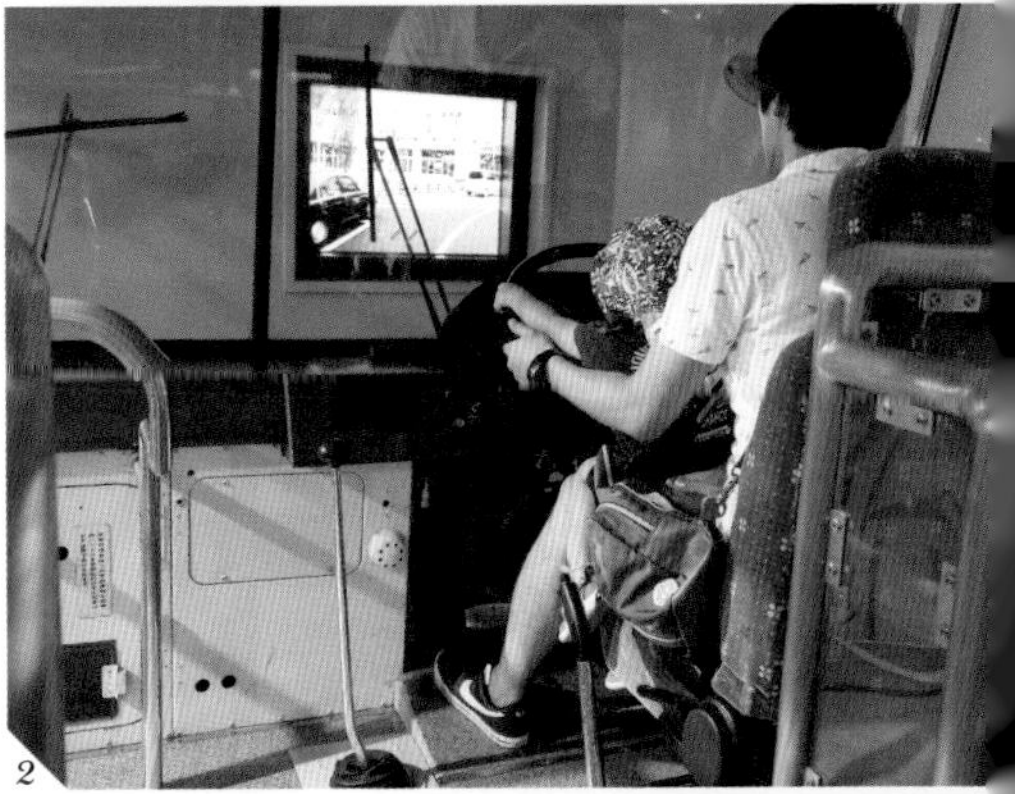

2

3

1 入り口正面に展示されている東武鉄道開業当初の蒸気機関車・SL5号。2 バスのシミュレーションは、実物の運転席に座って、画面を見ながらハンドル操作を楽しめる。3 毎年夏に行われるプラレールフェスティバルのほか、クリスマスやゴールデンウィークなど季節のイベントも多数開催。

技術

千葉工業大学 東京スカイツリータウン®キャンパス

自分で好きな花火を選んだり組み合わせたりして巨大スクリーンに映し出す「打ち上げ花火をデザインする」。

写真：Ryu Furusawa

最先端技術に触れて驚きと感動を体験

千葉工業大学による先端技術を応用した体感型アトラクションが東京ソラマチ内にある。

人気のアトラクションは、「打ち上げ花火をデザインする」。自分で好きな花火を選んで組み合わせ、巨大スクリーン内で打ち上げることができる。「魔法のカード ON THE FLY PAPER」は一見何の変哲もない紙のカードだが、机の上に置くと文字や映像が浮かび上がってくる。そのほか、ロボット技術や惑星探査研究の成果を応用したアトラクションも。最先端の科学技術を通して未来を体験してみてはいかがだろうか。

1

2

3

4

1 AIが花の種類を判定するしくみが視覚的にわかる「ハナノナ」。2 センシングとコンピュータ技術で文字や映像が浮かび上がって見える「魔法のカード ON THE FLY PAPER」。3 4 花火のデザインはパネルで選べる。

DATA

千葉工業大学 東京スカイツリータウン® キャンパス

ちばこうぎょうだいがく とうきょうすかいつりーたうんきゃんぱす

東京都墨田区押上1-1-2
東京スカイツリータウン®ソラマチ 8階

03-6658-5888

10：30～18：00(12/29～1/1のみ11：00～17：00)
平均観覧時間：30分

不定休

無料

小学生～中学生

東京メトロ半蔵門線・東武スカイツリーライン・京成押上線・都営浅草線押上駅から徒歩1分

イベント(不定期)は事前予約が必要

https://cit-skytree.jp/

千葉工業大学 東京スカイツリータウン® キャンパスからの

挑《ちょう》戦《せん》状《じょう》

Q.1

「ハナノナ」は人工知能《じんこうちのう》を使《つか》って何《なん》種類《しゅるい》の花《はな》を分類《ぶんるい》することができるでしょう?

ヒントはここ!

エリア1「ハナノナ」

Q.2

お掃除《そうじ》ロボット「ルーロ」に使《つか》われた「SLAM 技術《ぎじゅつ》」とはどんな技術《ぎじゅつ》?

ヒントはここ!

エリア1「ルーロ」

薬・衛生

Daiichi Sankyo くすりミュージアム

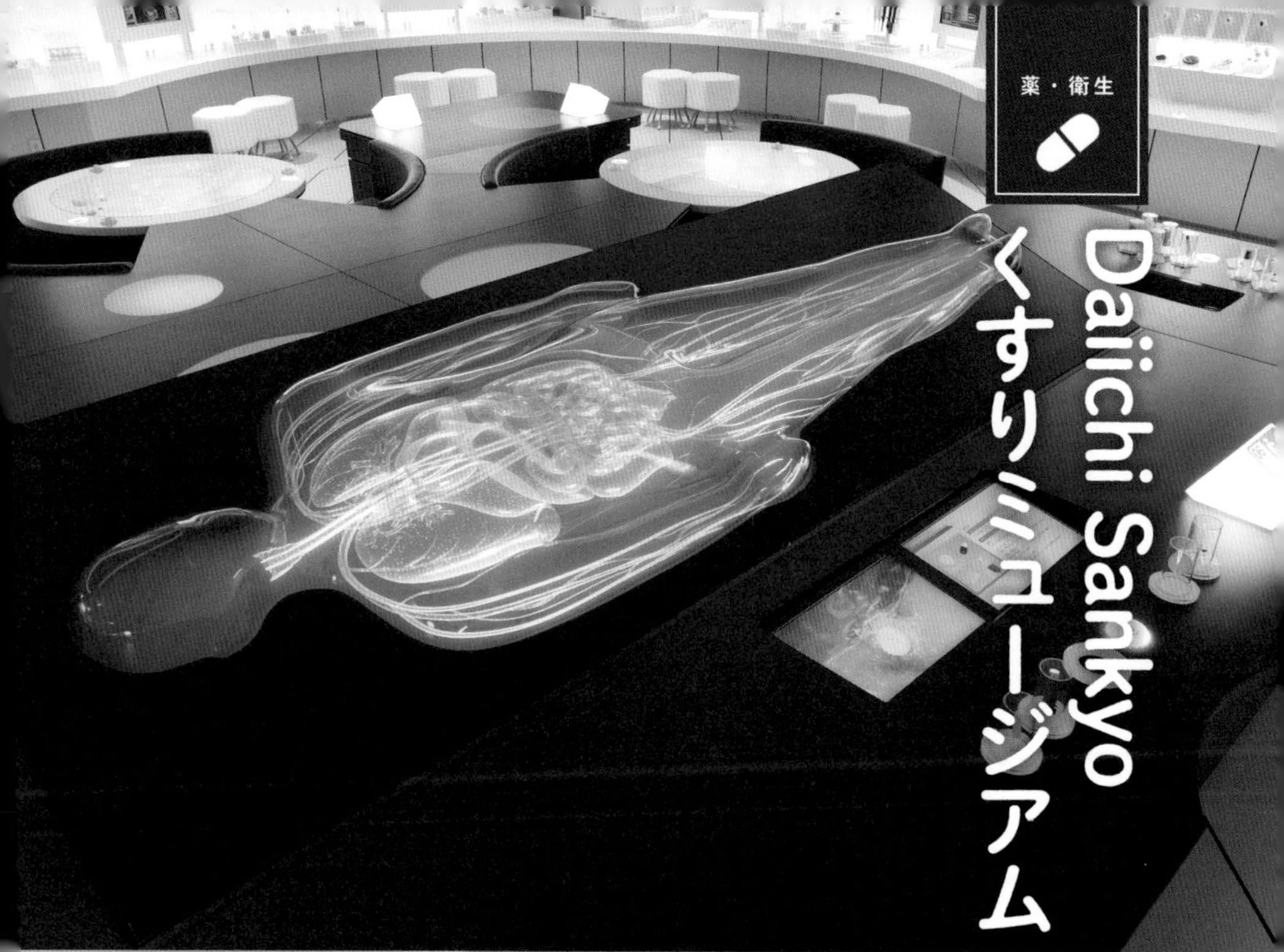

「くすりのはたらき」では気管支炎、インフルエンザなどを例に、薬が体内の細胞にどう作用するか、ゲーム感覚で学べる。

奥深い世界を知ったら薬を好きになるかも・・・・・

だれもがお世話になっているのに「好き」という人が少ない薬。その働きや大切さ、開発する人々の想いに触れられるミュージアムで、薬のすごさや面白さを見つけたい。

がんやワクチンといった気になる話題をアニメや動画で紹介するシアター、大きな人体模型で体に入った薬の動きを追える展示、ゲームで薬の働きをリアルに感じるコーナーなど、薬や、薬と人々の関係を理解しやすい工夫がされている。

知っているようで、実はきちんと知らなかった薬の話に「そうだったのか」という発見がいっぱいだ。

1

2

1 館内のあちこちで視覚的に楽しめるよう、薬に関係する意匠が見られる。2 「くすりシアター」では壁面のスクリーンが包み込まれるような大型シアターに変化。ダイナミックな映像に惹き込まれる。

DATA

Daiichi Sankyo くすりミュージアム
だいいちさんきょう くすりみゅーじあむ

- 東京都中央区日本橋本町3-5-1
- 03-6225-1133
- 10：00〜17：30
  平均観覧時間：1時間30分
- 休 月曜（祝日・振替休日の場合は開館、翌日休館）
- ¥ 無料（要予約）
- 未就学児〜
- 東京メトロ銀座線・半蔵門線三越前駅（A10出口）から徒歩3分
  JR総武線新日本橋駅（出入口5）から徒歩1分
- https://kusuri-museum.com/

Daiichi Sankyo くすりミュージアムからの

挑《ちょう》戦《せん》状《じょう》

Q.1

第一三共株式会社《だいいちさんきょうかぶしきがいしゃ》と関《かか》わりの深《ふか》い高峰譲吉《たかみねじょうきち》が発見《はっけん》した、血《ち》を止《と》めるくすりに使《つか》われるホルモンは何《なに》？

ヒントはここ！
2階《かい》フロア・ピンクのパネルコーナー「毎日《まいにち》こども新聞《しんぶん》」

Q.2

世界《せかい》ではじめての抗生物質《こうせいぶっしつ》・ペニシリンの発見《はっけん》につながった、くすりの種《たね》は何《なん》でしょう？

ヒントはここ！
2階《かい》フロア「くすりの種《たね》：自然《しぜん》」

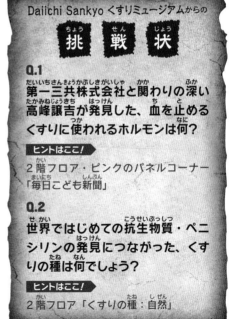

技術

セイコーミュージアム銀座

「東洋の時計王」と呼ばれた創業者の、常に時代の一歩先を歩んだ足跡を追う「服部金太郎ルーム」。

太古から最新鋭まで時計のこと丸わかり！……

セイコーの創業100周年記念事業としてオープンした前身の「セイコー時計資料館」を含め、40年以上の歴史を持つ。セイコー創業者の服部金太郎に関するアーカイブや自社製品史のみならず、幅広く時計の歴史や技術を紹介している。

各展示室には「〇〇の時間」の名がつき「自然が伝える時間から人がつくる時間」には、自然の力を利用した太古の時計や、機械時計発展の歴史がわかる展示などが。世界初のクオーツ式時計のコーナーでは、クオーツならではの革新的な技術に驚くだろう。ほかにも、改めて時計の可能性に気づかせてくれる展示が豊富だ。

時計の歴史を変えたといわれる世界初のクオーツ式時計「クオーツアストロン」。

おすすめポイント

ミュージアムグッズ

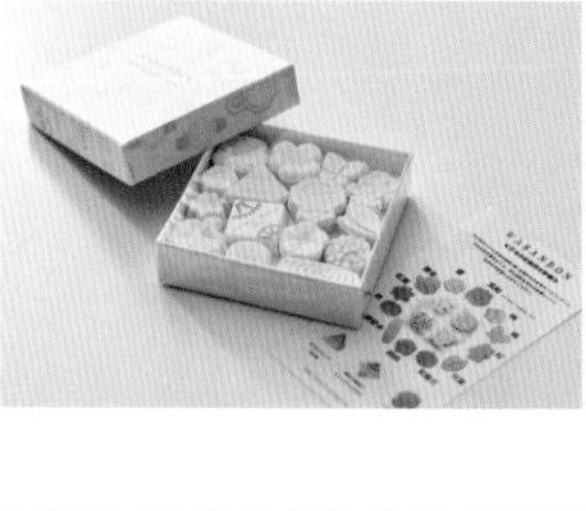

時計と伝統的な和菓子という組み合わせがユニークな、オリジナルの和三盆。四季のモチーフで時の彩りも表現している。

1

2

3

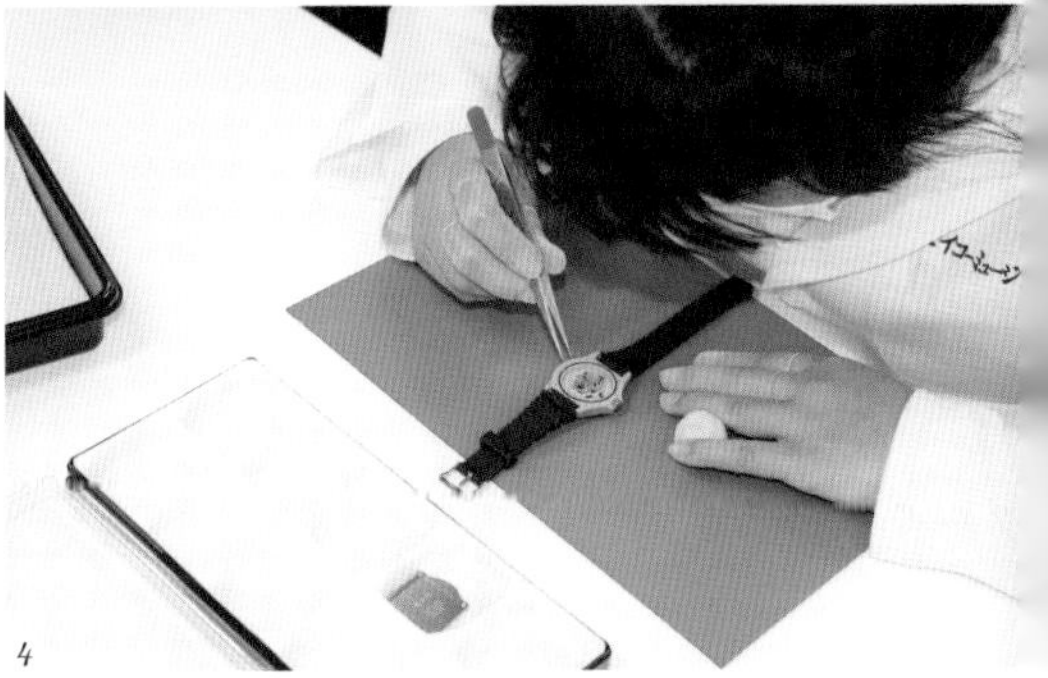

4

1 セイコーの歴史を示す「いろいろな時間」。2 日時計、水時計や、日本独自の「和時計」などを紹介するコーナー。3 銀座並木通りで時を刻むミュージアムの外観。4 自分で時計をつくるイベントも不定期で開催される。

DATA

セイコーミュージアム銀座

せいこーみゅーじあむぎんざ

- 東京都中央区銀座4-3-13　セイコー並木通りビル
- 03-5159-1881
- 10：30～18：00　平均観覧時間：1時間
- 休 月曜
- ¥ 無料（事前web予約者優先入場）
- 未就学児～小学校高学年
- 東京メトロ銀座線・丸ノ内線・日比谷線銀座駅（B2・B4出口）から徒歩1分
東京メトロ日比谷線・千代田線日比谷駅（A0出口）から徒歩2分
東京メトロ有楽町線有楽町駅（D8出口）から徒歩2分
- イベントはweb申込が必要
- https://museum.seiko.co.jp/

セイコーミュージアム銀座からの

挑《ちょう》戦《せん》状《じょう》

Q.1

昔《むかし》、エジプトで夜用《よるよう》の時計《とけい》として使《つか》われていたバケツ型《がた》の時計《とけい》は何《なん》という時計《とけい》？

ヒントはここ！

3階《かい》「自然《しぜん》の力《ちから》を利用《りよう》した時計《とけい》」

Q.2

セイコーがつくった日本《にほん》で最初《さいしょ》の腕時計《うでどけい》の名前《なまえ》は？

ヒントはここ！

2階《かい》「『発展期《はってんき》』良品《りょうひん》は必《かなら》ず需要者《じゅようしゃ》の愛《あい》顧《こ》を得《え》る」

気象・天文

気象科学館

気象科学館
Meteorological Science Museum
ようこそ、気象科学館へ
ぼくはマスコットキャラクター「はれるん」。
この気象科学館は、気象業務の紹介、
防災知識の普及・啓発を目的に
作られた展示施設なんだ。
今日はぼくが君を案内するよ！
津波シミュレーター
Tsunami Simulator
はれるんにさわらないで！

入り口では気象庁マスコットキャラクター「はれるん」がお出迎え。フラッシュ撮影すると背景に何か見えるかも？

天気予報を見る目が変わるかも!?

「気象科学館」は、天気や台風などの自然現象や地震、防災知識について、映像やシミュレーション装置などを使って学べる施設だ。

館内の中央で目を引くのは、「津波シミュレーター」。普通の波と津波を模擬的に発生させる装置を使って津波のしくみや普通の波との違いが学べるようになっている。

「災害ポイントウォッチャー」は2面のタッチパネル式で、地震や津波、台風、夕立（局地的大雨）に遭遇したときに危ない行動をとっている人をタッチすると、どのような行動や場所が安全または危険かなどをクイズ

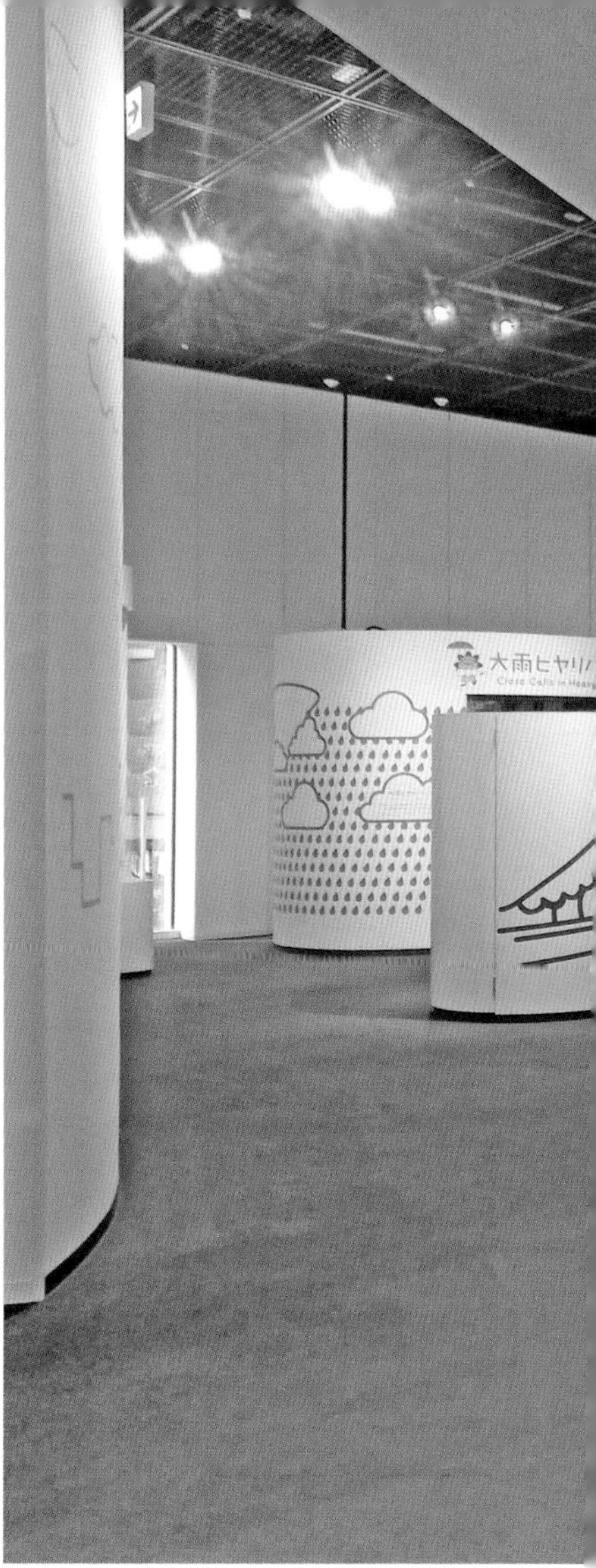

形式で楽しみながら知ることができる展示だ。
「ミニアメダス～虎ノ門露場～」には、気象庁で実際に使用している雨量計や風向風速計、ラジオゾンデなどの観測機器を展示。普段はなかなか見ることのできない観測機器を近くで見られるチャンス。

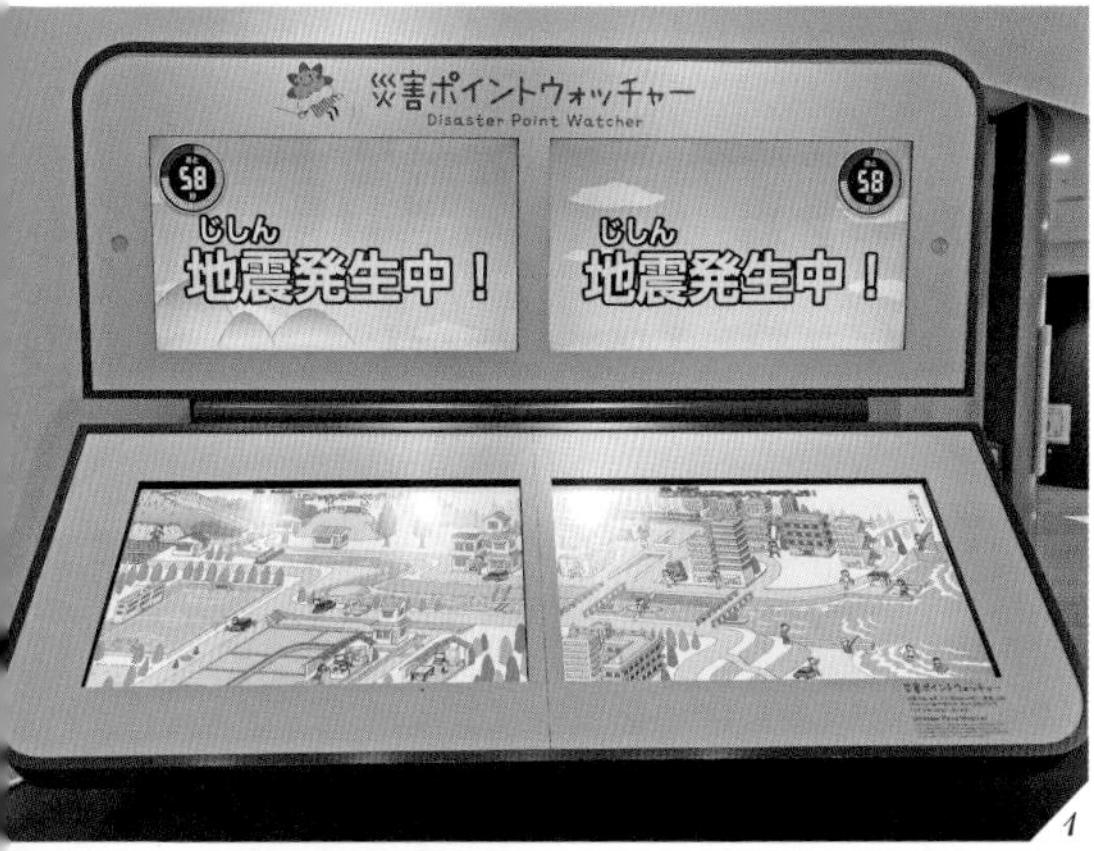

1

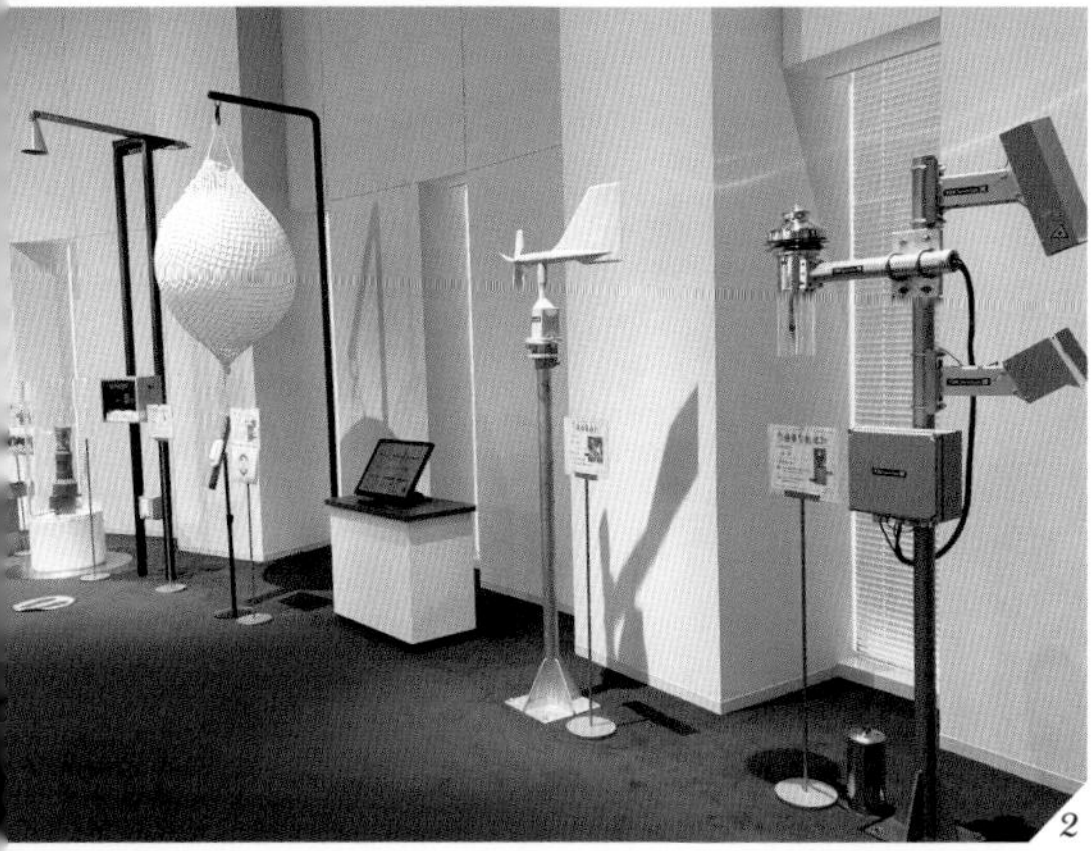

2

3

1 「災害ポイントウォッチャー」では地震や津波、台風、大雨時に関するクイズを出題。2 実際の観測機器「ミニアメダス～虎ノ門露場～」。3 新人予報官になりきってクイズにチャレンジ！

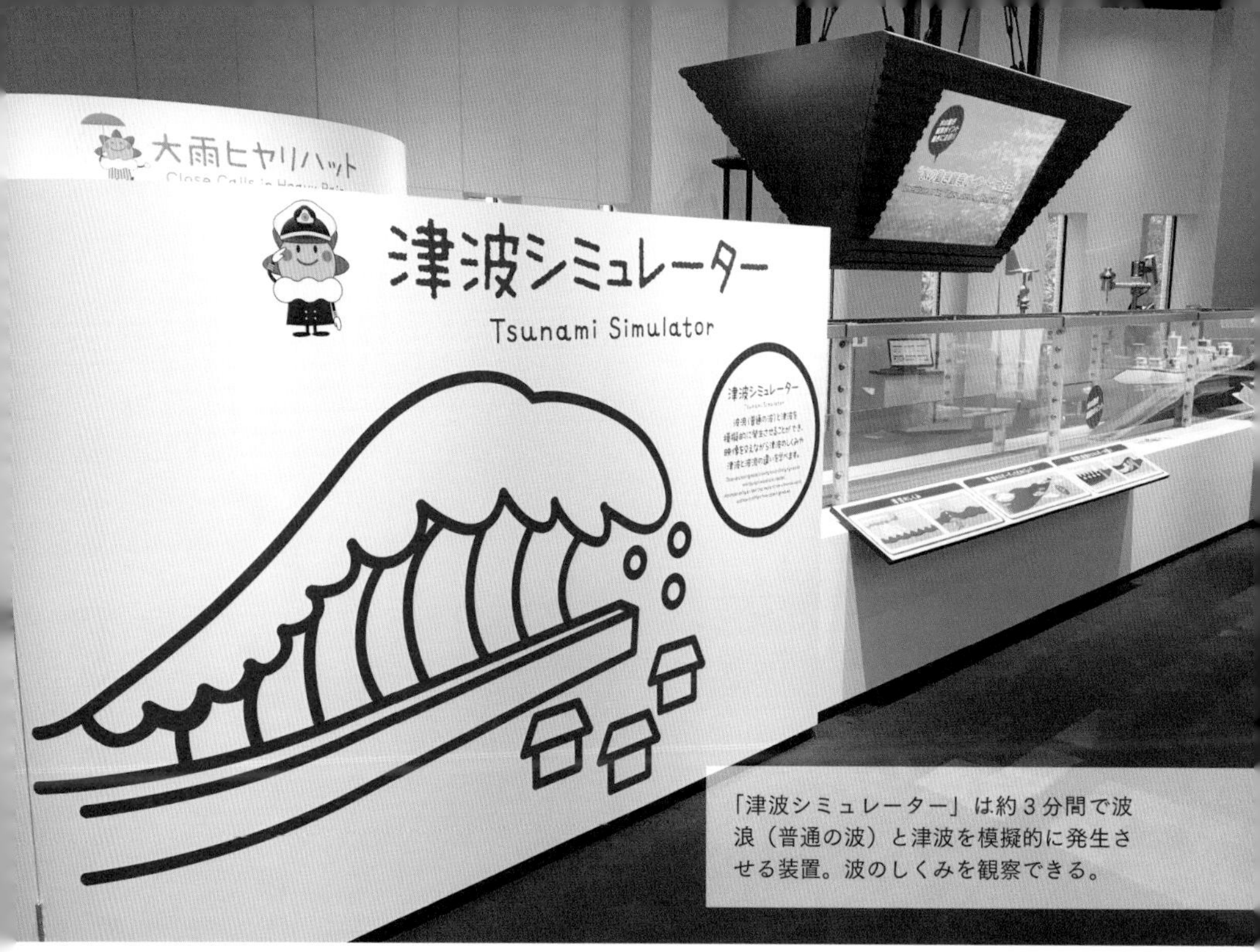

「津波シミュレーター」は約３分間で波浪（普通の波）と津波を模擬的に発生させる装置。波のしくみを観察できる。

子どもたちから特に人気が高いのが、「ウェザーミッション～キミは新人予報官～」という展示。実際に気象庁で予報を出している部屋に入っている気分で、新人予報官になりきって気象に関するクイズにチャレンジできる。

また、実際に気象庁が記者会見を行う場所を再現した人気のフォトスポット「防災服展示／記者会見体験ブース」にもぜひ立ち寄ってほしい。災害対応時に着用する防災服の展示や、防災情報を伝える記者会見体験をすることで、気象庁の職員が普段どんな仕事をしているのかがわかるようになっている。

さらに、館内には気象予報士の資格を持った解説員が常に配置されている。展示装置の使い方はもちろん、展示を見て気になったことはどんどん質問してみよう。

局地的な大雨がきたときの対処法が学べる「大雨ヒヤリハット」。

気象科学館からの

挑《ちょう》戦《せん》状《じょう》

Q.1

アメダスで観測《かんそく》していないのはどれでしょう？

A: 気温《きおん》　B: 気圧《きあつ》　C: 風《かぜ》の向《む》き

ヒントはここ！

「ミニアメダス～虎《とら》ノ《の》門《もん》露《ろ》場《じょう》～」

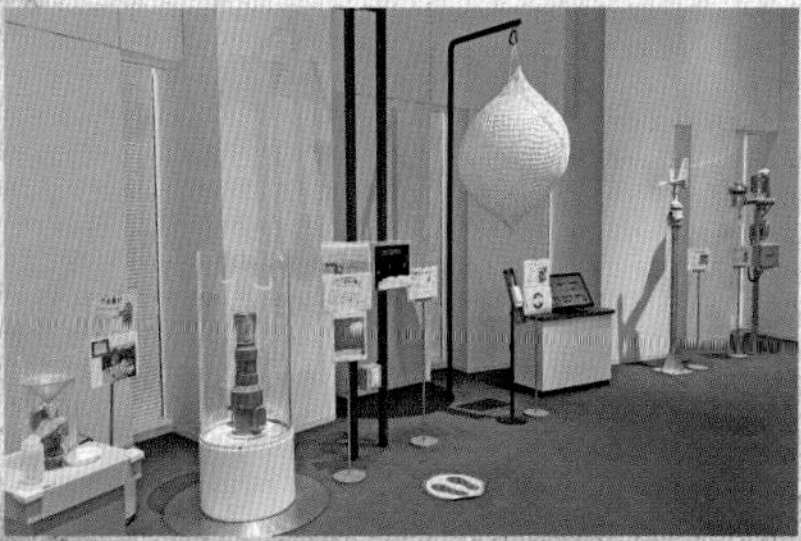

Q.2

津波《つなみ》の高《たか》さは海岸《かいがん》に近《ちか》づくほど、高《たか》くなるでしょうか？低《ひく》くなるでしょうか？

ヒントはここ！

「津波《つなみ》シミュレーター」

Q.3

急《きゅう》な夕立《ゆうだち》！ 身《み》を守《まも》るためにどうすればよい？

A: 橋《はし》の下《した》で雨宿《あまやど》り

B: 川《かわ》から急《いそ》いではなれる

C: 頭《あたま》を低《ひく》くして守《まも》る

ヒントはここ！

「災害《さいがい》ポイントウォッチャー」

DATA

気象科学館

きしょうかがくかん

- 東京都港区虎ノ門3-6-9　気象庁2階
- 03-6758-3900
- 9：00～20：00
平均観覧時間：45分
- 第2月曜・火曜（月曜が祝日の場合は、火曜・水曜）、臨時休館日
- 無料
- どなたでも
- 東京メトロ日比谷線虎ノ門ヒルズ駅（A2a出口）から徒歩4分・神谷町駅（4b出口）から徒歩5分
東京メトロ銀座線虎ノ門駅（2番出口）から徒歩10分
東京メトロ南北線六本木一丁目駅（3番出口）から徒歩15分
- https://www.jma.go.jp/jma/kishou/intro/kagakukan.html

写真提供：気象庁

気象庁の記者会見の体験ブースはフォトスポットとして大人気。会見ブースの中に入れば、気象庁職員の一員になった気分。

科学総合

港区立みなと科学館

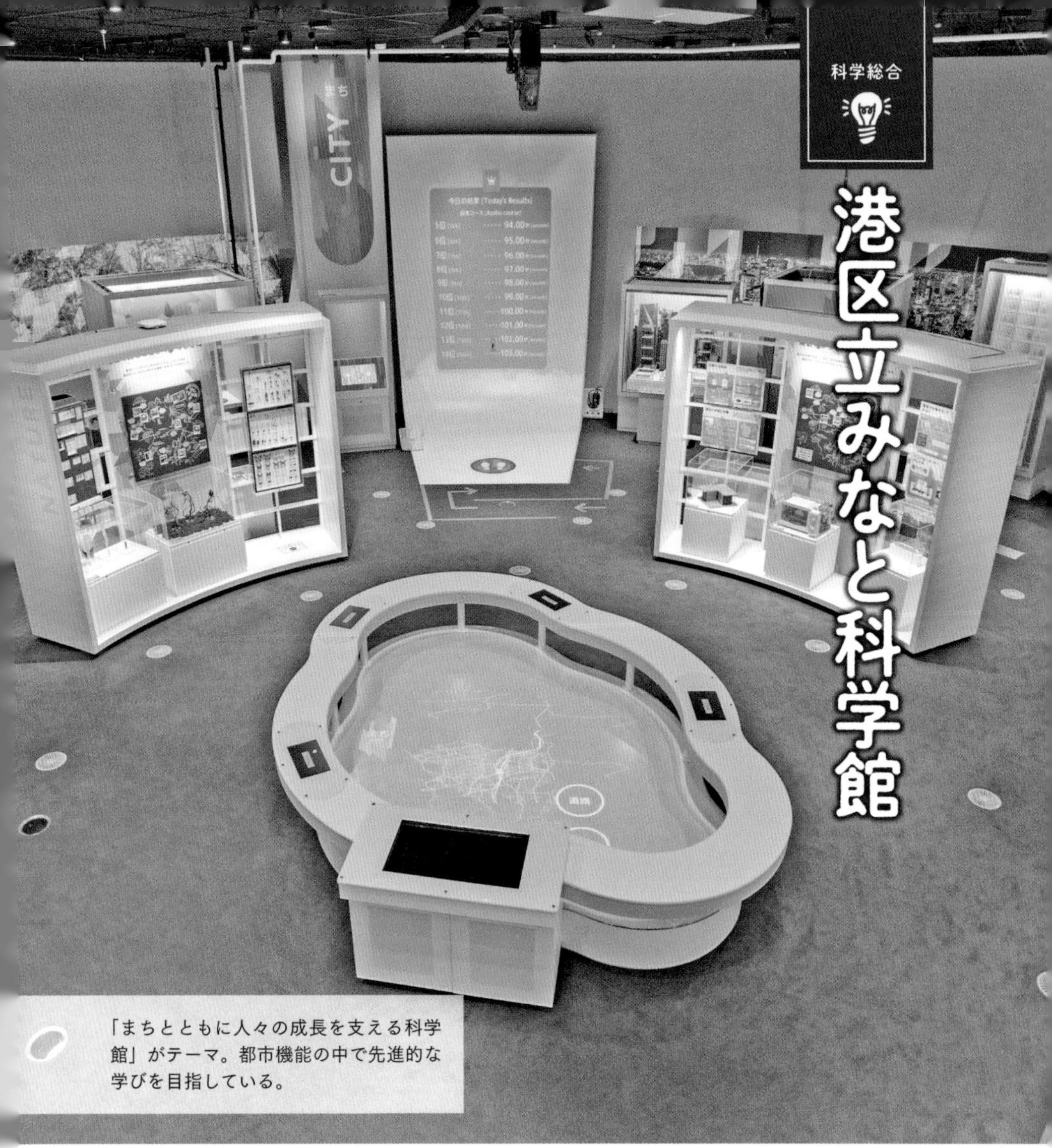

「まちとともに人々の成長を支える科学館」がテーマ。都市機能の中で先進的な学びを目指している。

街に息づく科学を発見しに行こう

虎ノ門ヒルズや六本木に近い都会の真ん中で科学に触れられる科学館。体験型の常設展示や、好奇心と想像性を育む実験室、800万個の星が輝くプラネタリウムがあり、気象科学館も併設されている。

　常設展示は「しぜん」「まち」「うみ」といった、港区にある環境について観察できたり、環境と自分の生活のつながりについて気づきが得られたりするコーナーが設けられている。加えてユニークなのは「わたし」について。自分の体と向き合い、反射神経テストや動物と足の速さを競うことで「わたし」を科学の目で見る体験ができる。

港区立みなと科学館からの

挑《ちょう》戦《せん》状《じょう》

Q.1

船《ふね》はなぜ水《みず》に浮《う》かぶでしょう？

ヒントはここ！

知《し》る・発見《はっけん》するコーナー「うみ」

Q.2

チーターの足《あし》が速《はや》いのはなぜ？

ヒントはここ！

知《し》る・発見《はっけん》するコーナー「わたし」

1 最新鋭の設備で臨場感あふれる視聴覚体験ができるプラネタリウム。**2** 都会に隠れた自然を見つけるワクワクを体感できる「しぜん」コーナー。**3** 区の自然や水辺などさまざまな表情を見せてくれる。

DATA

港区立みなと科学館

みなとくりつみなとかがくかん

- 東京都港区虎ノ門3-6-9 1・2階
- 03-6381-5041
- 9：00〜20：00（プラネタリウムの最終投影は19：00。入館は19：30まで）
平均観覧時間：1時間
- 第2月曜（祝日の場合は開館、翌日休館）、臨時休館あり
- 無料（プラネタリウムは別途料金）
- どなたでも
- 東京メトロ日比谷線虎ノ門ヒルズ駅（A2a出口）から徒歩4分・神谷町駅（4b出口）から徒歩5分
東京メトロ銀座線虎ノ門駅（2番出口）から徒歩10分
東京メトロ南北線六本木一丁目駅（3番出口）から徒歩15分
- 一部のイベントは事前電話予約が必要
- https://minato-kagaku.tokyo/

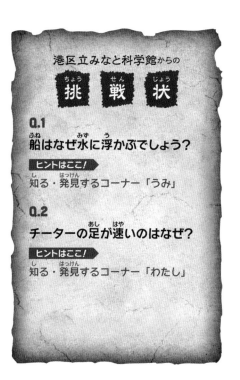

技術

TEPIA先端技術館

1階ショーケースエリアでは課題解決を目指すテクノロジーとして、さまざまな分野の先端技術を体験しながら学べる。

社会に貢献する先端技術が満載

人とテクノロジーをつなぐ「CONNECT」をテーマにした先端技術に触れられる施設。

メインエリアの「ショーケース」では、社会が抱えるさまざまな課題を解決に導くための先端技術を紹介。よいものづくりのためには、社会の課題を知ることも重要であると実感できるはずだ。

「クリエイティブラボ」では3Dプリンタやレーザー加工機によるものづくりの実演が見られるだけでなく、モデリングソフトの操作体験も可能。PCを使ってイメージを形にする、新しい創作方法の体験をすることができる。

さらに、「ワークショップエリア」では、球体型のロボットを動かすプログラミングワークショップを開催。課題をクリアするために試行錯誤することを通じて、プログラミングを楽しく学べるとともに、目標達成に向けて繰り返し挑戦することの重要性も学ぶことができると好評だ。

クリエイティブラボの講座の作品例。3Dプリンタやレーザー加工機を使ったオリジナルグッズがつくれる。

1

2

3

4

1 2 予約制のクリエイティブラボの講座では３Ｄモデリングソフトを使ってものをつくったり電子工作を体験したりできる。3 ワークショップエリアでは幼児から体験できるプログラミング教材もあり。4 近代的な外観が目印。

DATA

TEPIA 先端技術館

てぴあ せんたんぎじゅつかん

- 東京都港区北青山2-8-44
- 非公開（問い合わせは公式HPより）
- 3部完全入替制9：30～11：30、13：00～15：00、15：00～17：00
  平均観覧時間：2時間
- 月曜（祝日の場合は開館、翌平日休館）
- 無料（要web予約）
- 小学生～
- 東京メトロ銀座線外苑前駅（2b出口）から徒歩4分
- 一部のイベントは事前web予約が必要
- https://www.tepia.jp/exhibition

TEPIA 先端技術館からの

挑《ちょう》戦《せん》状《じょう》

Q.1

コンピュータでつくった形《かたち》はどうやって現物《げんぶつ》になるの？

ヒントはここ！

２階《かい》クリエイティブラボ「３Ｄプリンタ」

Q.2

ロボットを表《あらわ》す3つの要素《ようそ》ってなに？

ヒントはここ！

「プログラミングワークショップ」

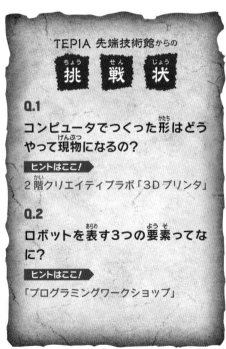

科学総合

こども科学センター・ハチラボ

台の上からボールを転がすと、いつもきまった形になる不思議な「二項分布パチンコ」。

疑問を感じることで学びに向かう力を育む……

渋谷駅近くの「渋谷区文化総合センター大和田」の3階にある、子どもたちの〝夢〟と科学する心を育む施設。「二項分布パチンコ」や「りんご取りゲーム」などの常設展示以外に、大学や企業・NPO団体の協力を得て年間3~5回特別展示が開催される。子どもたちの学びのきっかけとなるよう、見て、触って、考える体験型のハンズオン展示が企画されているのが特徴だ。

小・中学生向けのワークショップは、科学工作や自然、宇宙をテーマに年間を通して実施（要web予約）。低学年から楽しめるミニワークショップは1週間前から電話予約を受け付け、当日申し込みも可能だ。

「渋谷区文化総合センター大和田」の12階には「コスモプラネタリウム渋谷」（p.90掲載）も。

こども科学センター・
ハチラボからの

挑《ちょう》戦《せん》状《じょう》

Q.1

1度《ど》に3個《こ》以《い》下《か》しか取《と》れない17個《こ》のりんごを2人《ふたり》で取《と》り合《あ》い最後《さいご》の1個《こ》を取《と》ったほうが負《ま》ける「りんご取《と》りゲーム」。必《かなら》ず勝《か》つのは先攻《せんこう》? 後攻《こうこう》?

ヒントはここ!

「りんご取《と》りゲーム」

Q.2

二《に》項《こう》分《ぶん》布《ぷ》パチンコでできるのはどんな形《かたち》?

A: 山形《やまがた》　B: 谷型《たにがた》

C: ギザギザ型《がた》

ヒントはここ!

「二《に》項《こう》分《ぶん》布《ぷ》パチンコ」

DATA

こども科学センター・ハチラボ

こどもかがくせんたーはちらぼ

- 東京都渋谷区桜丘町23-21
渋谷区文化総合センター大和田 3階
- 03-3464-3485
- 10：00～17：00
平均観覧時間：90分
- 月曜（休日の場合は開館、翌平日休館）
- 無料
- どなたでも
- JR渋谷駅（南改札西口）から徒歩5分
- 一部のイベントは事前予約が必要
- https://shibu-cul.jp/hachilabo

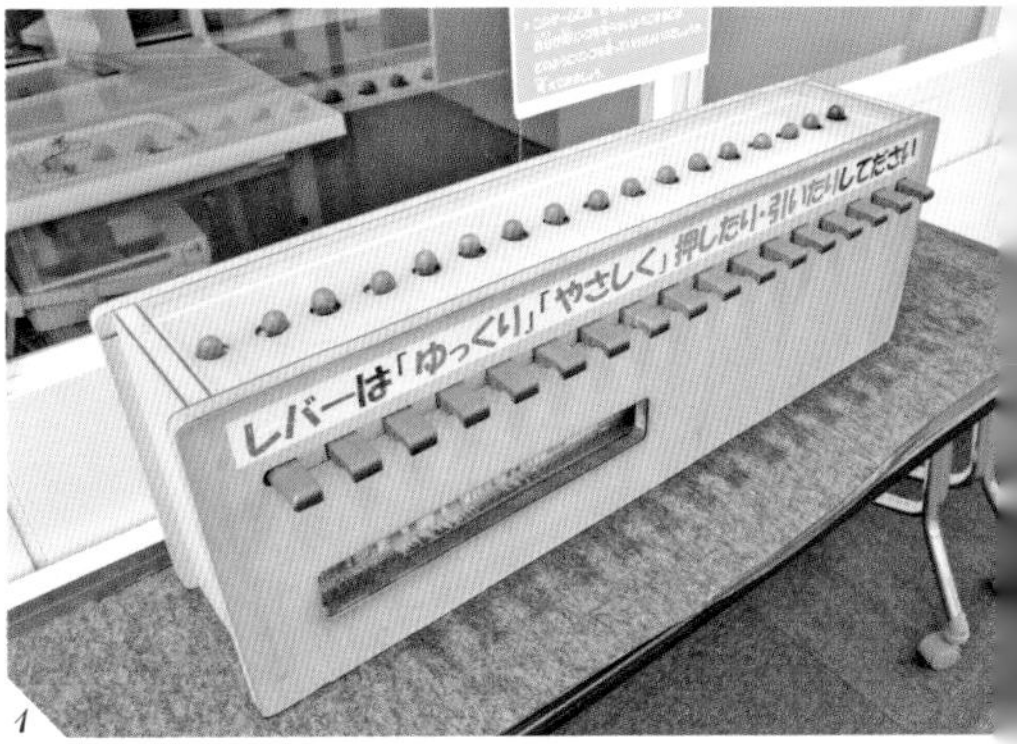

1

2

3

1 割り算の「あまり」を利用した2人対戦の「りんご取りゲーム」。**2** 土日や夏休みはワークショップや実験教室も多数行う。30分程度で作品をつくれる講座もあるので小学校低学年でも楽しめる。**3** リュウキンの「キンちゃん」は同館の人気者。

PART 2 お台場・目黒

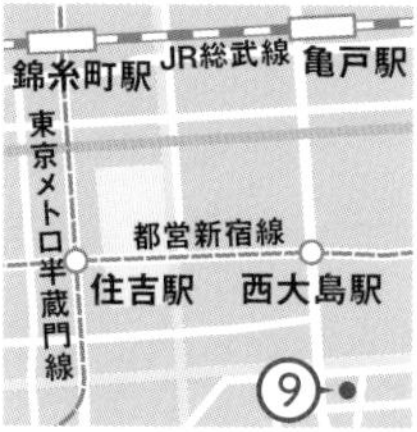

錦糸町駅
JR総武線
亀戸駅
東京メトロ半蔵門線
都営新宿線
住吉駅
西大島駅
9

0 500m
ららぽーと 豊洲
5
豊洲駅
晴海通り
6
潮見運動公園
えこっくる江東
辰巳1
辰巳の森海浜公園
東京メトロ有楽町線
イオン東雲
東雲1
新豊洲駅
市場前駅
豊洲市場
ゆりかもめ
環二通り
有明通り
辰巳駅
辰巳
湾岸通路
りんかい線
東雲駅
有明中
有明テニスの森駅
有明ガーデン
レインボーブリッジ
国際展示場駅
7
有明駅
4
AkeruEパナソニッククリエイティブミュージアム
有明2
お台場海浜公園駅
3
東京ビッグサイト駅
ゆりかもめ
台場駅
東京テレポート駅
ダイバーシティ東京プラザ
都立潮風公園
青海駅
2
1
東京国際クルーズターミナル駅
東京湾岸警察署
テレコムセンター駅
0 500m
夢の島熱帯植物園
りんかい線
JR京葉線
8
新木場駅
東京メトロ有楽町線
新木場公園

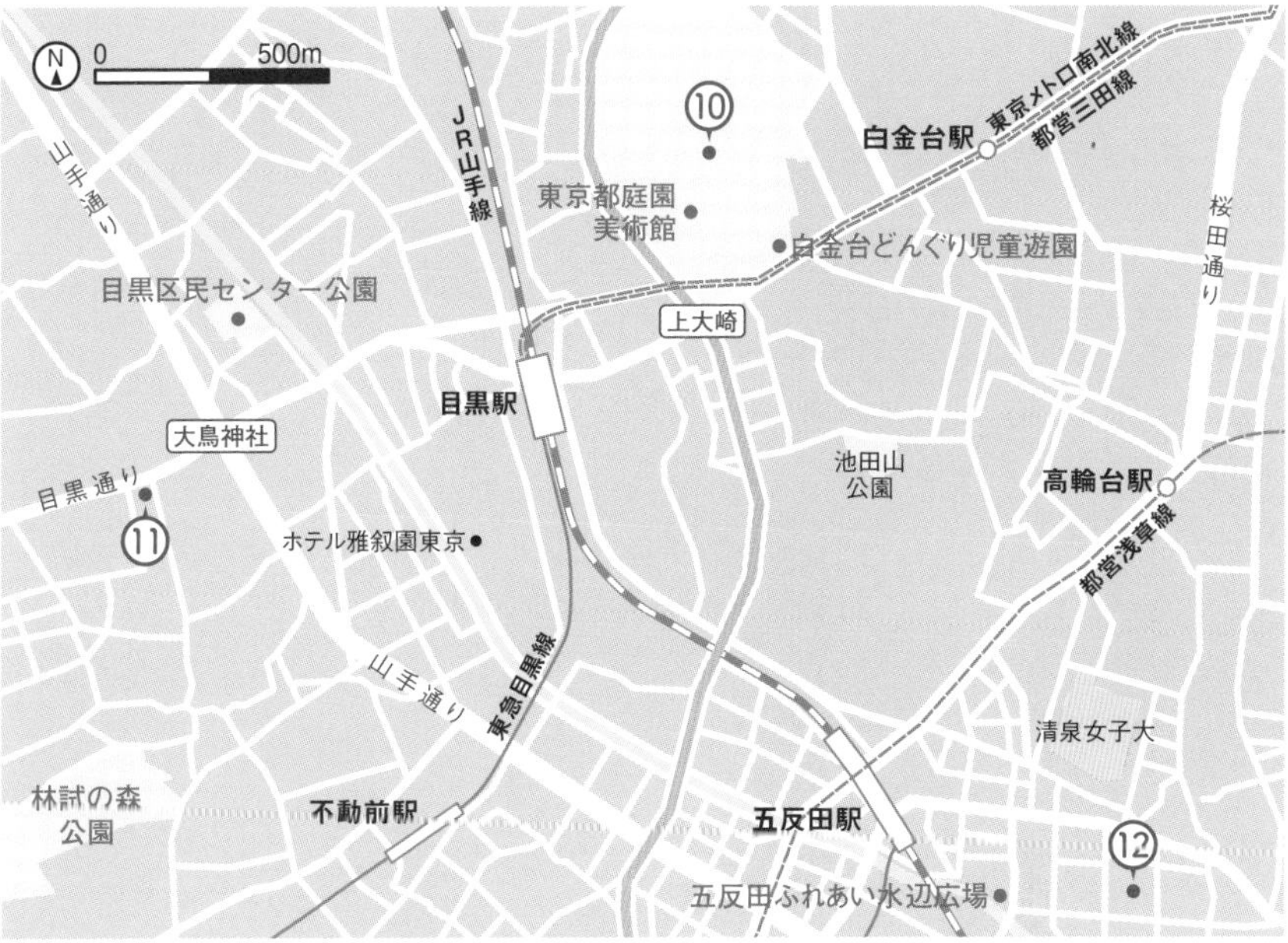
N
0
500m
山手通り
JR山手線
⑩
東京都庭園美術館
白金台どんぐり児童遊園
白金台駅
東京メトロ南北線
都営三田線
桜田通り
目黒区民センター公園
上大崎
目黒駅
大鳥神社
目黒通り
⑪
ホテル雅叙園東京
池田山公園
高輪台駅
都営浅草線
東急目黒線
山手通り
清泉女子大
林試の森公園
不動前駅
五反田駅
⑫
五反田ふれあい水辺広場

科学総合

日本科学未来館

1～7階まで先端科学にまつわるあれこれがぎっしり。公式サイトには「“宇宙”でめぐる」「半日コース」などの提案も。

夢が現実になる! そんな未来が見える

・・・・・

先端技術の魅力を伝えるミュージアムは1日では足りないほど展示のバラエティも数も豊か。子どもから大人まで、それぞれの興味に応じた体験や映像などを満喫できる。

興味深いのは、科学コミュニケーターと意見やアイデアを出し合う直接的なインタラクティブ形式を採用していること。トークやツアーなどのイベントも多く、特別に目的を決めて訪れなくても、科学への興味や好奇心を刺激する展示に出会えるはず。

なかでも地球の姿を超リアルに映し出す「ジオ・コスモス」はシンボル的な存在。直径約6メートルの球体は、1万362

1

2

3

1 「未来をつくる」のゾーンは、ロボットや情報システムなど、まさに先端技術の粋。2 災害とその被害、そして科学技術がなにをできるかを探る「100億人でサバイバル」。3 国際宇宙ステーションでの宇宙飛行士の実験や暮らしを紹介。

おすすめポイント

お食事スポット

7階のレストラン Miraikan Kitchen のイチオシは、宇宙から降り注ぐ素粒子の1つであるニュートリノをカラフルなコラーゲンボールで表現した「ニュートリノミルクティー」。

枚の最新LEDパネルに包まれている。気象衛星が撮影した画像データを毎日取り込み、刻々と変化する地球の姿を、雲の流れまで映し出す。そのみずみずしい映像は、地球の美しさを再認識し、今の地球にあるさまざまな課題点を考えるきっかけになるかもしれない。

私たちはなぜ、今ここに存在しているのか。宇宙、地球環境、細胞などさまざまな視点で体験する「世界をさぐる」ゾーン。

空気感や気配までも感じられるようなドームシアターの秘密は、アクティブシャッター方式の3Dシステムと、高精細な映像を投影する2台の高輝度4Kプロジェクター。ハッとしてからまじまじと見つめてしまいそうに鮮やかで自然な映像は、ラインナップも多彩で見飽きることがない。

子どもを夢中にさせるのが、絵本の中に入り込んだようなしかけの展示空間。人間という生物の特徴を、しかけ絵本などの体験型の展示で紹介し、脳のしくみや社会との関わり合いを学ぶことができる。

館内にある研究エリアには最先端をいく研究プロジェクトが集まっている。普段は入れない研究現場を見学できるイベントや、新たに登場する常設展などもあり、行くたびにわくわくドキドキがある科学館なのだ。

1

2

1 絵本に入り込んだような気分で、人間だけが持つ脳のしくみを探る。2 実際の研究現場を見学できるイベントも。

日本科学未来館からの

挑《ちょう》戦《せん》状《じょう》

Q.1

宇宙飛行士《うちゅうひこうし》は、どうやって宇宙《うちゅう》で寝《ね》ているの？

ヒントはここ！

5階《かい》・世界《せかい》をさぐる「こちら、国際宇宙《こくさいうちゅう》ステーション」

Q.2

雲《くも》はどこからくるの？

ヒントはここ！

1～5階《かい》・地球《ちきゅう》とつながる「ジオ・コスモス」

Q.3

日本中《にほんじゅう》で起《お》こる地震《じしん》はどうやって調《しら》べるの？

ヒントはここ！

5階《かい》・世界《せかい》をさぐる「100億人《おくにん》でサバイバル」

DATA

日本科学未来館

にっぽんかがくみらいかん

- 東京都江東区青海2-3-6
- 03-3570-9151
- 10：00～17：00（入館は16：30まで）
  平均観覧時間：4時間
- 休 火曜（春・夏・冬休み期間などは開館の場合あり）
- ¥ 大人630円、18歳以下210円、6歳以下の未就学児無料（特別展等やドームシアターは別料金）
- どなたでも
- 新交通ゆりかもめ東京国際クルーズターミナル駅から徒歩5分・テレコムセンター駅から徒歩4分
  東京臨海高速鉄道りんかい線東京テレポート駅から徒歩15分
- 一部のイベントはweb申込が必要
- https://www.miraikan.jst.go.jp/

子どもたちが体を使って遊びながら「おや？」と思わせるしかけがたくさんつまった、無料の「“おや？”っこひろば」。

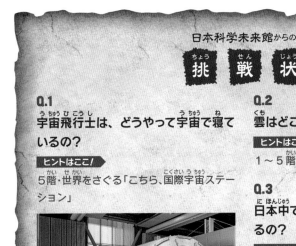

その他

船の科学館

1938年に建造された初代南極観測船「宗谷」の実物展示は、操舵室からスクリュープロペラまで内部を見学できる。

貴重な南極観測船や船の模型がいっぱい

海と船の文化をテーマにした「船の科学館」には、500分の1に統一された船舶模型、海底地形模型や貴重な資料などが展示されている。

なかでも、初代南極観測船「宗谷《そうや》」は見逃せない。第3次南極観測航海時の姿を復元した実物が展示されているのだ。また、500分の1に縮尺されたオイルタンカーやコンテナ船、自動車運搬船などの専用船の模型や、実際に船で運ばれる石油や鉱石のサンプルも見られる。

無料で配布されている海の学びシート「わくわくマリンkids」を持ち帰って、調べ学習に活用するのもおすすめだ。

1 ポンポン船やゴム動力船など、キットを使った工作教室。完成後は実際に水槽で走らせてみることができる。2 「宗谷」の観測隊員居住区。内部は現役当時の様子がわかるように復元されている。

DATA

船の科学館

ふねのかがくかん

- 東京都品川区東八潮3-1
- 03-5500-1111
- 10：00～17：00
  平均観覧時間：1時間
- 月曜（祝日の場合は開館、翌平日休館）
- 無料
- 小学生以上
- 新交通ゆりかもめ東京国際クルーズターミナル駅下車すぐ
  東京臨海高速鉄道りんかい線東京テレポート駅から徒歩12分
- 一部のイベントは予約が必要
- https://funenokagakukan.or.jp/

船の科学館からの

挑《ちょう》戦《せん》状《じょう》

Q.1

海《うみ》の水《みず》はなぜしょっぱいの？

ヒントはここ!

別館展《べっかんてん》示《じ》場《じょう》「わくわくマリン kids NO.1」

Q.2

海《うみ》の「海洋《かいよう》マイクロチップ問題《もんだい》」って何《なに》？

ヒントはここ!

別館展《べっかんてん》示《じ》場《じょう》「VR ブループラネット 海《うみ》からの警鐘《けいしょう》」

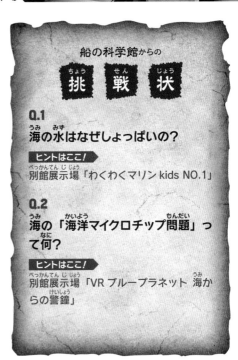

インフラ

東京都水の科学館

館内に入ってすぐ目に入る大きな滝の下には水に触れて遊べるプールがあり、水鉄砲などで水遊びができる。

水の循環や不思議を体験しながら発見！

水道の蛇口をひねると出てくる水は、どこで生まれてどこを流れてくるのか。そんな水の不思議と大切さを学べる体験型ミュージアムだ。

臨場感たっぷりの「アクア・トリップ　水のたびシアター」は、水つぶの旅をたどりながら水の大循環を学ぶことができる映像シアター。地下にある給水所を都内で唯一見学できる「アクア・ツアー」では、プロジェクションマッピングを使って給水所の役割をわかりやすく紹介している。「アクア・ラボラトリー」で実施される水の実験ショーは、子どもの知的好奇心を刺激すること間違いなしだ。

東京都水の科学館からの

挑《ちょう》戦《せん》状《じょう》

Q.1

森《もり》に雨《あめ》が降《ふ》りやすいのはなぜ？

ヒントはここ！

3階《かい》アクア・フォレスト「水源林《すいげんりん》のはたらき」

Q.2

水《みず》をきれいにする微生物《びせいぶつ》はどこに住《す》んでいる？

ヒントはここ！

2階《かい》アクア・ラボラトリー「おいしい水《みず》ができるまで」

DATA

東京都水の科学館

とうきょうとみずのかがくかん

- 東京都江東区有明3-1-8
- 03-3528-2366
- 9：30〜17：00（入館は16：30まで）
  平均観覧時間：1時間30分
- 月曜（祝日の場合は開館、翌日休館）
- 無料
- どなたでも
- 新交通ゆりかもめ東京ビッグサイト駅から徒歩8分
  東京臨海高速鉄道りんかい線国際展示場駅から徒歩8分
- 一部のイベントは整理券が必要
- https://mizunokagaku.jp/

1

2

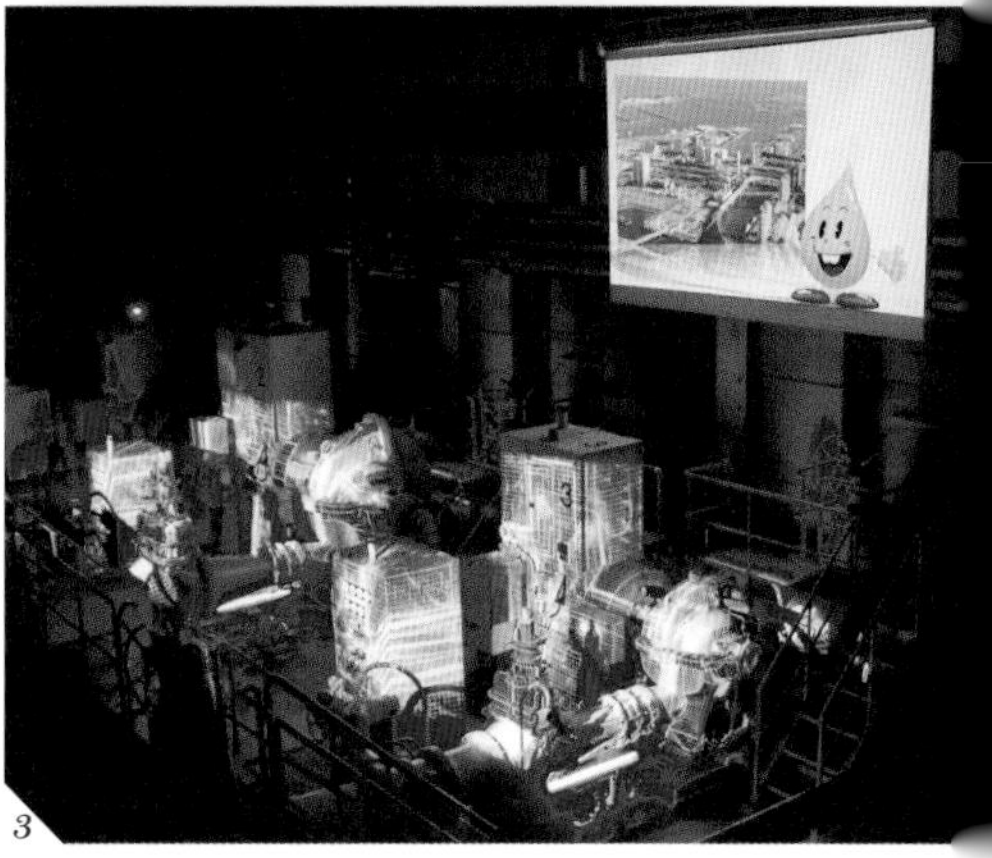

3

1 「アクア・ラボラトリー」で行われる水を使った実験ショー。水の不思議を間近で見てみよう。2 4面スクリーンに映し出される水の旅は圧巻。3 地下にある本物の水道施設「有明給水所」を探検できる「アクア・ツアー」。

インフラ

東京都 虹の下水道館

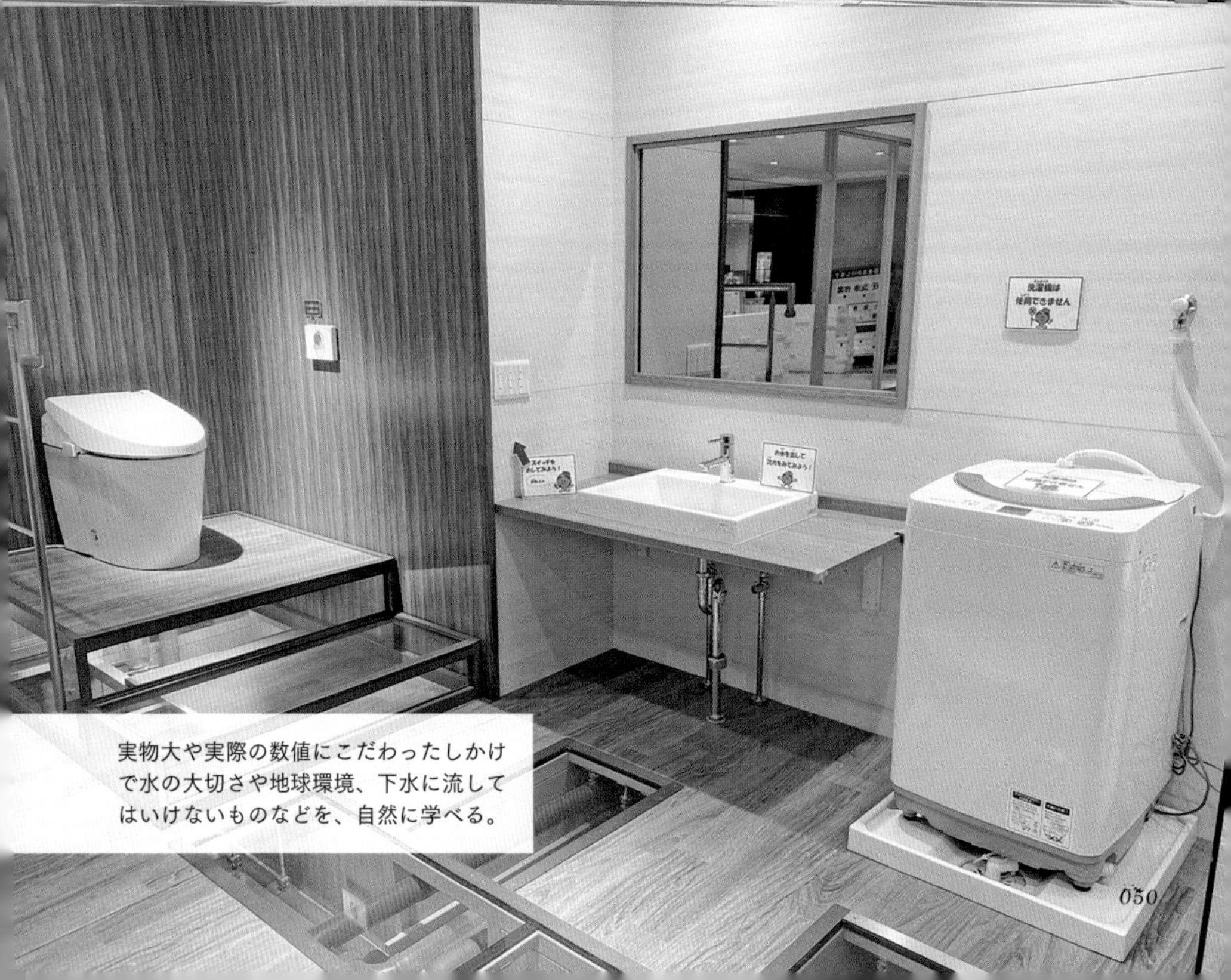

実物大や実際の数値にこだわったしかけで水の大切さや地球環境、下水に流してはいけないものなどを、自然に学べる。

マンホールから入って下水道管の中を調査！

生活になくてはならない下水道について、さまざまに凝らされたしかけから気づきを得ながら知ることができる。住居や下水道管などの実物大展示が多く、リアリティを感じられるのがうれしい。

床がガラス張りになった「アースくんの家」には、実物のお風呂やトイレ、洗面台などが設置されており、家の水の流れが目で見られる。自分が水道やトイレで流した水がどのくらいの量なのか、流されたあとどこに行くのか。アニメの上映もあり、毎日無意識にしていた行動の結果を知ることで、水の大切さを肌で実感できるはず。

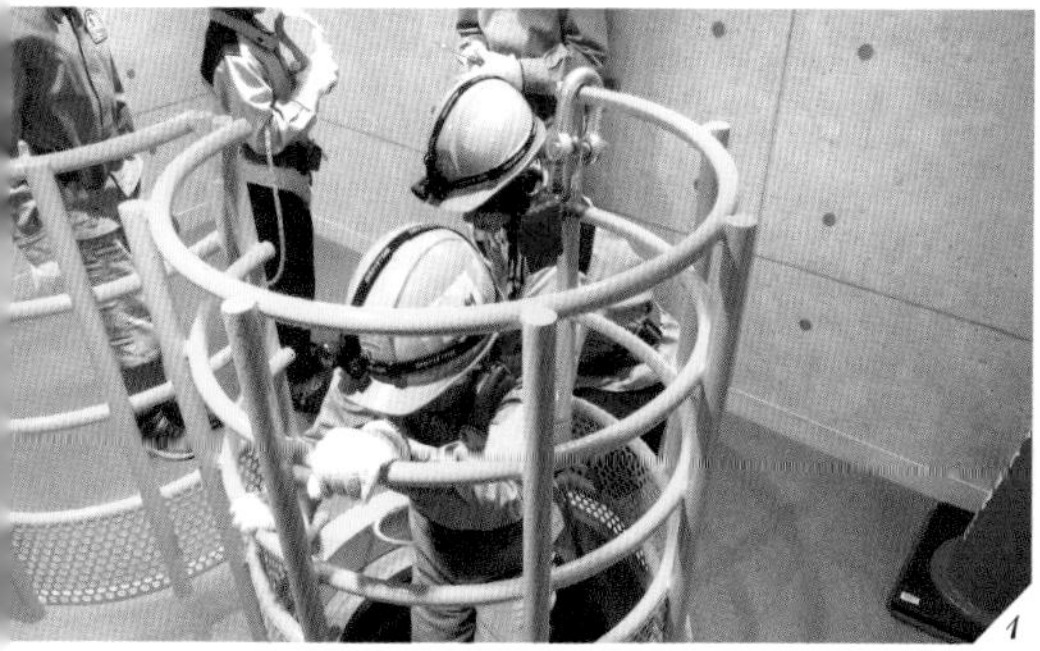

1 土日祝日や長期休みに開催のお仕事体験イベント。実際にマンホールから下水道管に入って点検したり、ポンプ設備の修理をしたり。体験の様子を家族が見学できるのもポイント。2 下水道管の中に入ったかのように見えるエントランスのモチーフ「どかんビジョン」。

DATA

東京都虹の下水道館
とうきょうとにじのげすいどうかん

- 東京都江東区有明2-3-5 有明水再生センター 5階
- 03-5564-2458
- 9：30〜16：30（入館は16：00まで）
平均観覧時間：30分〜1時間
- 月曜（祝日・休日の場合は開館、翌日休館）、夏休み期間は無休、下水道の日（9月10日）・都民の日（10月1日）は月曜日でも開館
- 無料
- どなたでも
- 新交通ゆりかもめお台場海浜公園駅から徒歩8分
東京臨海高速鉄道りんかい線国際展示場駅から徒歩12分
- 一部のイベントは当日館内にて先着順で受付
- https://www.nijinogesuidoukan.jp/

東京都虹の下水道館からの挑《ちょう》戦《せん》状《じょう》

Q.1

人《ひと》が１日《にち》に使《つか》う水《みず》はどれくらいの量《りょう》？

ヒントはここ！

アースくんの家《いえ》「アースくんの家《いえ》の鏡《かがみ》」

Q.2

マンホールのふたはなぜ丸《まる》いの？

ヒントはここ！

下水道《げすいどう》ひろば「マンホールの雑学《ざつがく》」

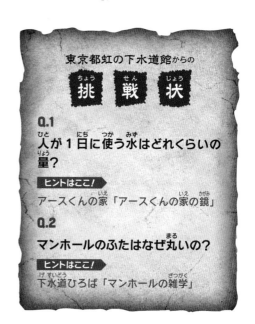

インフラ

がすてなーに ガスの科学館

ガス管が埋まっている地下の世界をイメージした「LNG バリューチェーンってなーに？」が人気。

暮らしに欠かせない ガスの原点を知ろう

暮らしを支えるエネルギーの特徴や、SDGsや地球温暖化などの社会の課題について体験しながら考え、楽しみながら学べる施設。

「LNGバリューチェーンってなーに？」は、ガス管が埋まった地下の世界をイメージした展示。実物のガス管を触ったりくぐり抜けるなどの体験を通して、ガスがどのように届くのかを知ることができる。

「炎のシャボン玉」は、都市ガスでつくったシャボン玉を燃やし、天然ガスが空気より軽く可燃性の気体であることをわかりやすく紹介。シャボン玉が燃える様子に驚くことだろう。

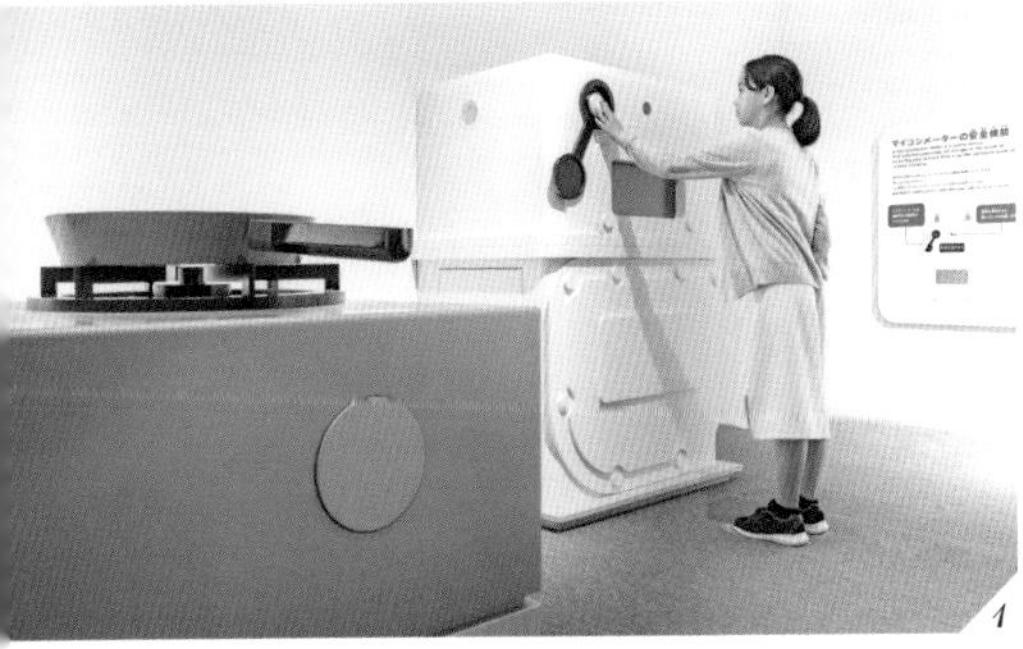

1 各家庭にもある「マイコンメーター（ガスメーター）」の操作が体験できる「マイコンメーターってなーに？」。2 クイズ大会は誰でも参加できるので、ぜひチャレンジしてみよう。

DATA

がすてなーに ガスの科学館

がすてなーに がすのかがくかん

- 東京都江東区豊洲6-1-1
- 03-3534-1111
- 9：30～17：00（入館は16：30まで）
  平均観覧時間：1時間30分
- 休 月曜（祝日の場合は開館、翌日休館）、施設点検日
- ¥ 無料
- 小学生
- 東京メトロ有楽町線豊洲駅（7番出口）から徒歩6分
  新交通ゆりかもめ豊洲駅（北口）から徒歩6分
  新交通ゆりかもめ新豊洲駅（1A出口）から徒歩7分
- 一部のイベントは事前申込が必要
- https://www.gas-kagakukan.com/

がすてなーに ガスの科学館からの

挑《ちょう》戦《せん》状《じょう》

Q.1

ガスはどこから来《く》るのかな？

ヒントはここ！

1階展示室《かいてんじしつ》「エネルギー」ゾーン「LNGバリューチェーンってなーに？」

Q.2

都市《とし》ガスは何《なに》からつくられる？

ヒントはここ！

1階展示室《かいてんじしつ》「エネルギー」ゾーン「LNGバリューチェーンってなーに？」

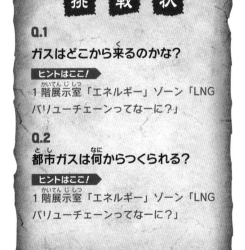

技術

水素情報館 東京スイソミル

目に見えない水素エネルギーのしくみをかわいいイラストやアニメーションなどでわかりやすく解説してくれる。

キャラクターと一緒に水素について学ぼう

目に見えない水素や水素社会の将来像を学べる学習施設「東京スイソミル」。館内の説明にはかわいらしいキャラクターがたくさん登場し、イラストやアニメーション、クイズゲームなどで楽しく学ぶことができる。

子どもたちに大人気なのは「水電解による水素生成体験コーナー」だ。電気分解による水素の生成と燃料電池による発電のしくみを、実験を通じて体験しよう。

2023年8月にオープンした「スイソンハウス」では、太陽光発電でつくられる「グリーン水素」について、メインキャラクターのスイソンが解説してくれる。

また、水素社会が実現した将来のまちをコンセプトとする「Neoトーキョー」では、より身近になっていく水素エネルギーを感じられる。ほかにも同館には、実験教室やワークショップなど、親子で参加でき、夏休みの自由研究にも役立つコンテンツが豊富に揃っている。

不定期で行われる「全力実験教室」などの実験やワークショップ。環境やSDGsについて触れることができる。

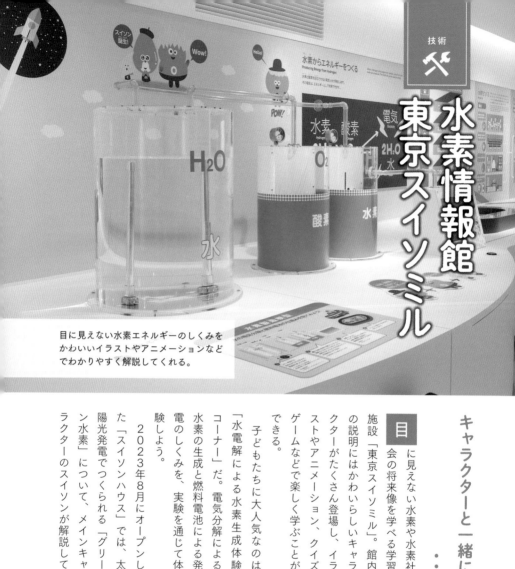

1 近隣の駅周辺などからサイクルポートを利用すると便利。2 水素社会が実現された未来のまち「Neo トーキョー」の住民票が発行される。3 水の電気分解を体験できるコーナー。4 科学実験に子どもたちも興味津々。

DATA

水素情報館 東京スイソミル

すいそじょうほうかん とうきょうすいそみる

- 東京都江東区潮見1-3-2
- 03-6666-6761
- 9：00～17：00（入館は16：30まで）
  平均観覧時間：1時間
- 月曜（祝日の場合は開館、翌日休館）
- 無料
- 小学生以上
- JR京葉線潮見駅から徒歩8分
  東京メトロ有楽町線辰巳駅から徒歩20分
- 団体アテンドサービスはweb予約が必要
- https://www.tokyo-suisomiru.jp/

水素情報館 東京スイソミルからの

挑《ちょう》戦《せん》状《じょう》

Q.1

水素《すいそ》をものすごく冷《つめ》たく冷《ひ》やすと液《えき》体《たい》になるよ。マイナス何度《なんど》で液体《えきたい》になる？

ヒントはここ！

本館《ほんかん》1階《かい》「注目《ちゅうもく》のエネルギー、水素《すいそ》とは」

Q.2

水素《すいそ》をつくる方法《ほうほう》はいろいろあるけど、太陽光《たいようこう》や風力《ふうりょく》など自然《しぜん》の力《ちから》を使《つか》ってつくった水素《すいそ》を何《なん》という？

ヒントはここ！

本館《ほんかん》1階《かい》「水素《すいそ》には色《いろ》がある」

防災

防災体験学習施設 そなエリア東京

「東京直下 72h TOUR」は、実際に「生き残る感」があり印象深い。家に帰って家族と共有したくなりそう。

被災地に迷い込んだ!? ・・・・・ 驚きから備えを学ぶ

潮の香りの中、四季折々の花に彩られる広々とした公園。ここは、首都圏で大地震などの災害が起きたときに支援拠点となる場所で、ヘリポートやキャンプ用地などが備えられている。また建物内には、政府の緊急災害現地対策本部が置かれる候補地となるオペレーションルームも。

地震で壊れた街並みを再現した「東京直下72h TOUR」は圧巻。実物大のジオラマの中で、タブレットから出題されるクイズに答えながら地震災害後の支援が少ない時間を生き抜く知恵を学ぶ。生々しさとスケールに驚く来館者が多く、自分の日々の備えについて振り返るきっかけになるはずだ。

災害時に活躍する車両のモーターショー。車両に乗ったり記念撮影したり。防災に従事する隊員と直接話せる貴重なチャンスでもある。

1 地震後の倒壊や火災などもリアルに再現。2 被災した状況やタイミングに合わせたそなえを紹介する「きほんのそなえ」。3「一人ひとりのそなえ」では、人それぞれに合わせたそなえが一目瞭然。4 防災グッズなどが揃う「そなえカフェ」。

DATA

防災体験学習施設
そなエリア東京

ぼうさいたいけんがくしゅうしせつ
そなえりあとうきょう

- 東京都江東区有明3-8-35
- 03-3529-2180
- 9：30～17：00（入館は16：30まで）
  平均観覧時間：1時間30分
- 休 月曜（祝日の場合は開館、翌日休館）、臨時休館日
- ¥ 無料
- 未就学児以上
- 新交通ゆりかもめ有明駅から徒歩2分
  東京臨海高速鉄道りんかい線国際展示場駅から徒歩4分
- 一部のイベントは事前予約が必要
- https://www.tokyorinkai-koen.jp/

防災体験学習施設
そなエリア東京からの

挑《ちょう》戦《せん》状《じょう》

Q.1

大人《おとな》 1 人分《ひとりぶん》の防災用品《ぼうさいようひん》は？

ヒントはここ！

「きほんのそなえ」エリアまたは 2 階廊《かいろう》下《か》

Q.2

大判《おおばん》のハンカチは災害時《さいがいじ》に何《なに》に使《つか》うことができる？

ヒントはここ！

「きほんのそなえ」エリアまたは 2 階廊《かいろう》下《か》

技術

木材・合板博物館

木材を多用した落ち着きのある空間。当日受付可能な工作体験や予約制のワンコイン工作教室などが人気。

身近なのに意外と知らない「木」の秘密

世界でも珍しい木材や合板に関する博物館。特に「ロータリーベニヤレースの実演」は、世界でここでしか見ることができない貴重な展示だ。間伐材のヒノキ丸太を、トイレットペーパーのように薄くむく稼働模型で、薄い板（単板）を張り合わせた合板は小学校の机や椅子にも使われている。

　さまざまな木の板をバチで叩き、種類によって音や重さの違いがあることを体感できる「たたいてみよう！」も楽しい。スタッフが常駐しているので、ワークシートを解いたり工作体験に参加しながら、疑問に思ったことをぜひ聞いてみて。

1 ヒノキの丸太を0.5～1㎜の薄さにむく「ロータリーベニヤレースの実演」は毎週水・土曜の14時から。木の香りや手触りを実感でき、むかれた単板は持ち帰ることができる。
2 赤ちゃんから小学生まで遊べる木育コーナー。

DATA

木材・合板博物館
もくざい・ごうはんはくぶつかん

- 東京都江東区新木場1-7-22 新木場タワー 3・4階
- 03-3521-6600
- 10：00～17：00（入館は16：30まで） 平均観覧時間：1時間
- 休 月・火曜、祝日、夏期休業
- ¥ 無料
- どなたでも
- 東京メトロ有楽町線新木場駅から徒歩7分
- いつでも工作体験は予約不要（開館日10～15時受付）、夏休みのイベントなどは応募期間に受付・抽選
- https://www.woodmuseum.jp/

木材・合板博物館からの 挑《ちょう》戦《せん》状《じょう》

Q.1
世界一《せかいいち》重《おも》い木《き》は何《なに》？

ヒントはここ！
3階展示室《かいてんじしつ》・木《き》のこといろいろコーナー「持《も》ち上《あ》げてみよう」

Q.2
木《き》でつくられた折《お》り紙《かみ》「折《お》り樹《じゅ》」の、木《き》の厚《あつ》さは何《なん》mmでしょう？

ヒントはここ！
ミュージアムショップ

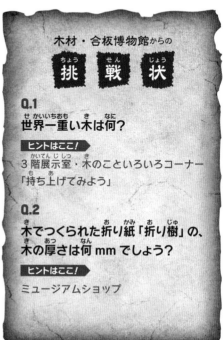

薬・衛生

ナチュラルサイエンス

工場見学では白衣に着替えて、化粧品の中身をつくっている「釜」や容器に詰められる工程などを見学できる。

憧れの化粧品はどうやってできる？

化粧品ができるまでの流れを見学できるナチュラルサイエンスの工場見学。実際に化粧品の中身をつくっている「調合室エリア」では、100kg～1tまでさまざまな大きさの釜で、化粧水やクリームをつくる様子が見られる。目の前でつくられた化粧品がお客さんの手に届く形になるまでを一度に見学できる「充填・包装エリア」も、子どもにとっては新鮮だ。

化粧品ができるまでを説明するパネルにあえて専門用語をそのまま使っているのも工夫の1つ。どういう意味かを知ることで、化粧品への興味がより深まるだろう。

1

2

1 工場で作業をする方とコミュニケーションが取れて楽しい。2 工場見学のあとは実際の製品を使ったスキンケア体験も。小学生以上の参加者にはスキンケアミニセットのお土産があるのがうれしい。

DATA

ナチュラルサイエンス
なちゅらるさいえんす

- 東京都江東区北砂3-4-27 ナチュラルファクトリー東京
- 03-5665-2311（予約は申込フォームから）
- 10：00～17：00 平均観覧時間：1時間30分
- 休 日曜、祝日（不定期開催）
- ¥ 大人800円、中学・高校生400円、小学生200円、未就学児無料　※要予約（抽選制）
- どなたでも（会員登録が必須）
- 都営新宿線西大島駅（A4出口）から徒歩10分
- https://www.natural-s.jp/

ナチュラルサイエンスからの挑《ちょう》戦《せん》状《じょう》

Q.1
工場《こうじょう》で作業《さぎょう》する人《ひと》の手袋《てぶくろ》が青《あお》いのはなぜ？

A：値段《ねだん》が安《やす》いから
B：目《め》に優《やさ》しいから
C：異物《いぶつ》を見分《みわ》けやすいから

ヒントはここ！　バルク製造《せいぞう》エリア

Q.2
肌《はだ》に優《やさ》しいお風呂《ふろ》の温度《おんど》は何度《なんど》くらい？

ヒントはここ！　スキンケア体験《たいけん》

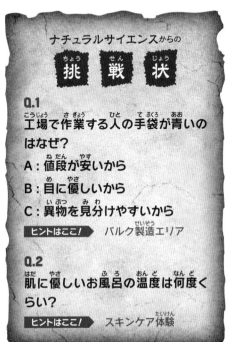

植物　生物

国立科学博物館附属自然教育園

目黒駅から徒歩9分という立地にありながら、自然の面影を残す貴重な森林緑地。多様な植物や生き物を観察できる。

都会の真ん中で大自然に触れ合える

「自然教育園」は、大都会の真ん中にあって、今なお豊かな自然が残る緑地。見どころは、なんといっても園内の自然だ。樹林や草地、池、小川などがあり、四季折々の草花や昆虫などの生き物が間近に観察できる。台風で根ごと倒れてしまった樹齢約300年のクロマツがそのままの姿で見られるなど、自然を活かした展示が特徴だ。

園内には種名表示板や解説板などがあり、自然について詳しく知ることができる。全てひらがな表記になっているので、小さな子どもでも楽しめるはず。

園内の自然観察に役立つように、その季節に見られる動植物

1 園内は一般的な植物園などと違い、季節の移りゆくまま本来の姿に近い状態で残された自然を満喫できる。
2 コバルトブルーが美しい“水辺の宝石”カワセミ。

を「今月の見どころ」としてパネルで紹介し、職員おすすめの観察ポイントも記載。また、展示室で配布している「自然教育園の歩き方　スパイＴＨＥネイチャーになろう！」などのワークシートや関連動画などを活用すると、自然観察がより楽しめて理解も深まるだろう。

おすすめポイント

無料のワークシート

園内で配布されるワークシートに書かれた5つのミッションをたどっていくと、園内の見どころを見て回ることができる。

展示室では、自然教育園内で見られる主な鳥など約26種のはく製を展示している。このうち特徴のある7種については、ボタンを押すと該当の鳥のはく製に赤いランプが点灯し、鳴き声の音声が流れるしくみになっている。展示室内で聞いた鳥の鳴き声が識別できるようになると、野鳥の観察にも興味を持つようになるだろう。ちなみに、人気ナンバーワンはウグイスで、番外編のザリガニも子どもたちに人気だ。

日曜日には、職員が季節ごとのテーマに応じた案内をしながら園内を回る「日曜観察会」を実施。生き物だけでなく、ヒートアイランドなど都市の中の自然の話をしたり、ムクロジの実で石鹸をつくったり、音叉《おんさ》でクモを呼ぶ実験や遊びを取り入れたりと、身近な自然に興味を持つきっかけになる楽しい内容だ。

1 園内で観察されたオオカマキリ。
2 展示室に掲示される、季節に応じた見ごろの動植物をパネルで紹介した「今月の見どころ」。散策前に写真を撮って、園内を探し歩いてみよう。

定期的に開催される「日曜観察会」。生き物の観察だけでなく実験や工作などもあり、子どもから大人まで楽しめる。

国立科学博物館附属自然教育園からの

挑《ちょう》戦《せん》状《じょう》

Q.1

自然教育園《しぜんきょういくえん》が国《くに》の「天然記念物《てんねんきねんぶつ》および史跡《しせき》」に指定《してい》されているのはなぜ?

ヒントはここ!

教育管理棟《きょういくかんりとう》 展示室《てんじしつ》 ワークシートと動画《どうが》「スパイ THE《ザ》 ネイチャーになろう!」

Q.2

自然教育園《しぜんきょういくえん》の「シュロ」の木《き》はなぜ増《ふ》えているのでしょう?

ヒントはここ!

森《もり》の小道《こみち》 掲示板《けいじばん》「都心《としん》に増《ふ》えるシュロ」

Q.3

江戸時代《えどじだい》に高松《たかまつ》のお殿様《とのさま》が自然教育園《しぜんきょういくえん》に持《も》ち込《こ》んだ植物《しょくぶつ》は?

A:ゾウノオスズカケ

B:クマノオスズカケ

C:トラノオスズカケ

ヒントはここ!

水鳥《みずとり》の沼付近《ぬまふきん》

DATA

国立科学博物館附属自然教育園

こくりつかがくはくぶつかんふぞく
しぜんきょういくえん

- 東京都港区白金台5-21-5
- 03-3441-7176
- 9:00~16:30(9月1日~4月30日)
  (入園は16:00まで)
  9:00~17:00(5月1日~8月31日)
  (入園は16:00まで)
  平均観覧時間:2時間
- 月曜(祝日・休日の場合は開園、翌日休園)、祝日の翌平日
- 大人・大学生320円、高校生以下・65歳以上・障害者の方とその介護者各1名無料
- どなたでも
- JR山手線目黒駅(東口)・東急目黒線目黒駅(中央口)から徒歩9分
  東京メトロ南北線・都営三田線白金台駅(1番出口)から徒歩7分
- 一部のイベントは事前web申込が必要
- https://ins.kahaku.go.jp/index.php

写真提供:国立科学博物館附属自然教育園

1

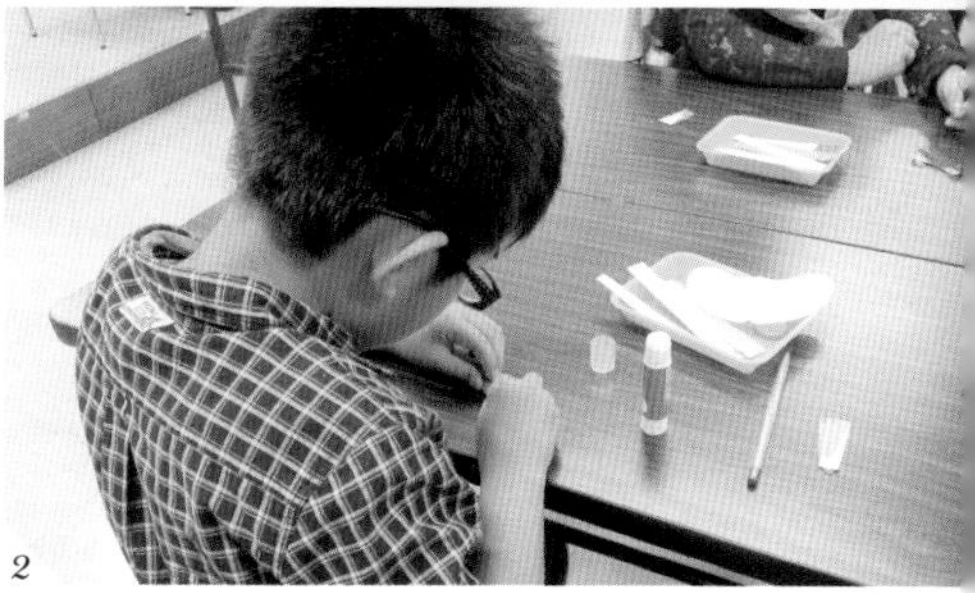

2

1 自然教育園に関連した企画展も充実。2 不定期で行われるワークショップ「飛ぶタネの不思議」は幼児から参加可能。

生物

目黒寄生虫館

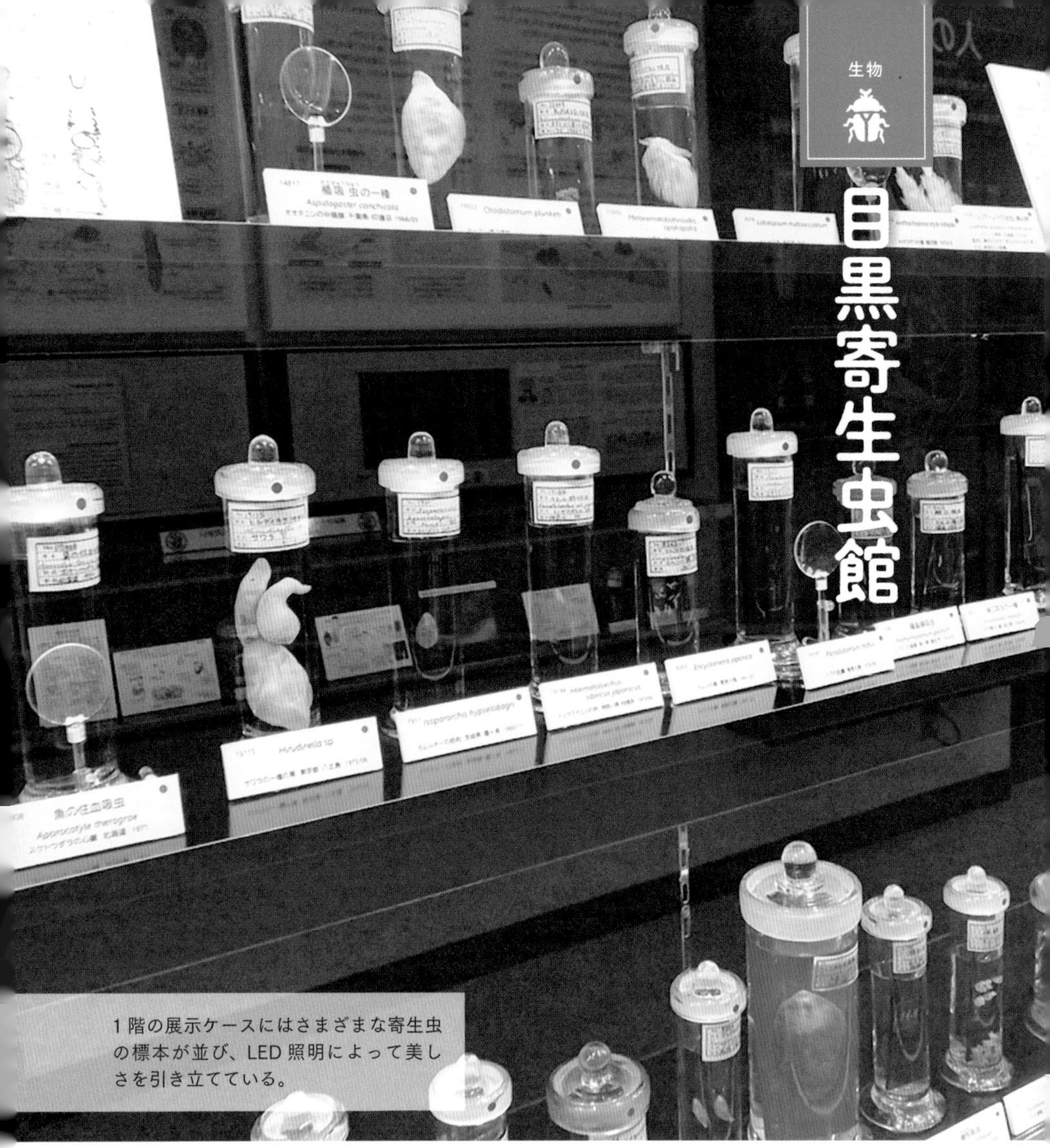

1階の展示ケースにはさまざまな寄生虫の標本が並び、LED照明によって美しさを引き立てている。

怖いけど見てみたい寄生虫の多様な世界

医師で医学博士の亀谷了が1953年に創建した、寄生虫専門の私立博物館。国内外で収集された約300点の標本や関連資料が展示されている。

1階のテーマは「寄生虫の多様性」。2階は「人体に関わる寄生虫」をテーマに、寄生虫研究の歴史にも踏み込んで解説している。内科医でもあった初代館長が患者の体内から採取した8・8mのサナダムシが目玉展示だ。普通に見たら寄生虫の姿だけ、スマートフォンでストロボ撮影すると宿主のイラストが映り込む「寄生虫のお家を探そう」は、寄生するという特徴の意味を体感させてくれる。

目黒寄生虫館からの

挑《ちょう》戦《せん》状《じょう》

Q.1

カタツムリやナメクジに触《さわ》ったらなぜ手《て》を洗《あら》わないといけないの?

ヒントはここ!

2階《かい》展《てん》示《じ》室《しつ》 2D 左《ひだり》「広東住血線虫《かんとんじゅうけつせんちゅう》」

Q.2

寄生虫《きせいちゅう》の卵《たまご》の大《おお》きさはどのくらい?

A: スイカの種《たね》くらい

B: イチゴのつぶつぶくらい

C: 髪《かみ》の毛《け》の太《ふと》さくらい

ヒントはここ!

2階《かい》展《てん》示《じ》室《しつ》「寄生虫卵蝋模型《きせいちゅうらんろうもけい》」

1

2

1 もしかしたら自分の中にいるかもしれない寄生虫。不思議な世界に没頭できる。2 教材として製作され、同館に寄贈された寄生虫の蝋《ろう》模型は、屈指の歴史的資料。

DATA

目黒寄生虫館

めぐろきせいちゅうかん

- 東京都目黒区下目黒4-1-1
- 03-3716-1264(音声案内)
- 10：00～17：00
  平均観覧時間：30分
- 休 月・火曜(祝日の場合は開館、翌平日休館)
- ¥ 無料(寄付をお願いしています)
- どなたでも
- JR山手線・東急目黒線・都営三田線・東京メトロ南北線目黒駅から徒歩12分
- 特別展(年1～2回)は予約不要
- https://www.kiseichu.org/

画像提供：公益財団法人目黒寄生虫館

おすすめポイント

ミュージアムショップ

寄生虫の存在感が目を引くTシャツは、じっくり見ると癖になる。書籍はもちろんポストカードも、なにもかも寄生虫だらけ。

技術

容器文化ミュージアム

身近な飲料がどの容器に詰められるか。意外と知らない容器と中身の関係を、扉を開けて確かめるのが楽しい。

目で見てわかれば分別してみたくなる

包装容器を「ひらく」ことをコンセプトに、容器包装の文化を発信するミュージアム。

容器包装の歴史や技術はもちろん、今では欠かせない環境配慮についての情報も豊富。「容器包装のエコポイント」は、容器の原材料から使い終わったあと生まれ変わるまでがわかる展示になっている。

実際に缶詰工場で行われている「打検」を体験できるコーナーは、6つの缶を叩いて空き缶と水の入った缶を当てるというもの。目の前で缶にふたを巻き締めてオリジナルの缶をつくる「タイムカプセル缶作り」は、持ち帰ってずっとワクワク。

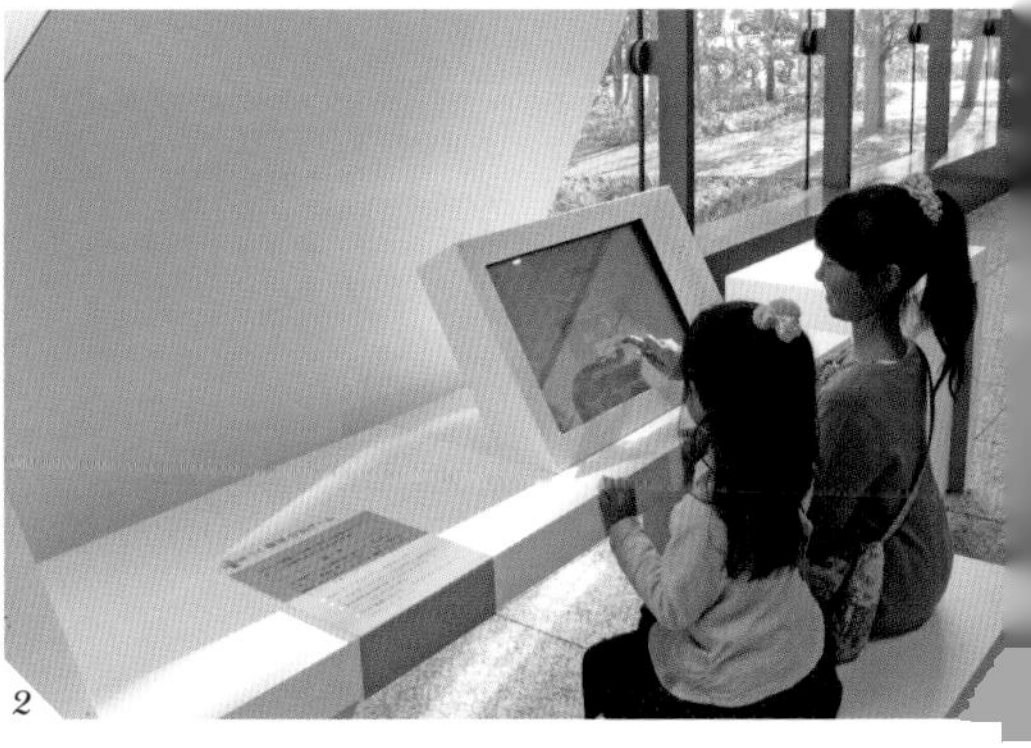

1 リサイクル後に何に生まれ変わるかを容器の種類ごとに紹介している「容器包装のエコポイント」には、鉄鉱石など実際の原材料の展示も。2 タッチパネルでごみの分別の大切さや知識を得られる「分別ゲーム」。

DATA

容器文化ミュージアム
ようきぶんかみゅーじあむ

- 東京都品川区東五反田2-18-1 大崎フォレストビルディング 1階
- 03-4531-4446
- 9：00～17：00 平均観覧時間：1時間
- 休 土・日曜、祝日
- ¥ 無料
- 未就学児～小学生
- JR山手線・湘南新宿ライン・埼京線大崎駅から徒歩6分 JR山手線・都営浅草線（A3出口）・東急池上線五反田駅から徒歩8分
- 一部のイベントは予約が必要
- https://package-museum.jp/

容器文化ミュージアムからの挑《ちょう》戦《せん》状《じょう》

Q.1

使《つか》い終《お》わったペットボトルは何《なに》に生《う》まれ変《か》わる？

ヒントはここ！
04 環境《かんきょう》「容器《ようき》包装《ほうそう》のエコポイント」

Q.2

ペットボトルに入《はい》った牛乳《ぎゅうにゅう》ってあるの？

ヒントはここ！
03 容器《ようき》包装《ほうそう》NOW! 飲料容器《いんりょうようき》「Q&A キャビネット」

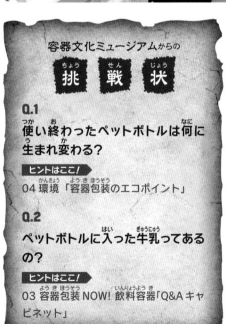

PART 3

北千住〜赤羽

舎人公園
舎人公園駅
竹ノ塚駅
6
保木間公園
谷在家駅
北鹿浜公園
7
西新井大師西駅
日暮里・舎人ライナー
大師前駅
環七通り
西新井駅
江北駅
東京スカイツリーライン
梅島駅
荒川
隅田川
足立小台駅
北千住駅
熊野前駅
東京メトロ千代田線
JR東北本線
京成本線
東京メトロ日比谷線
新三河島駅
田端駅
西日暮里駅
三河島駅
JR常磐線
南千住駅
日暮里駅
三ノ輪駅
明治通り
5
千駄木駅
本駒込駅
鶯谷駅

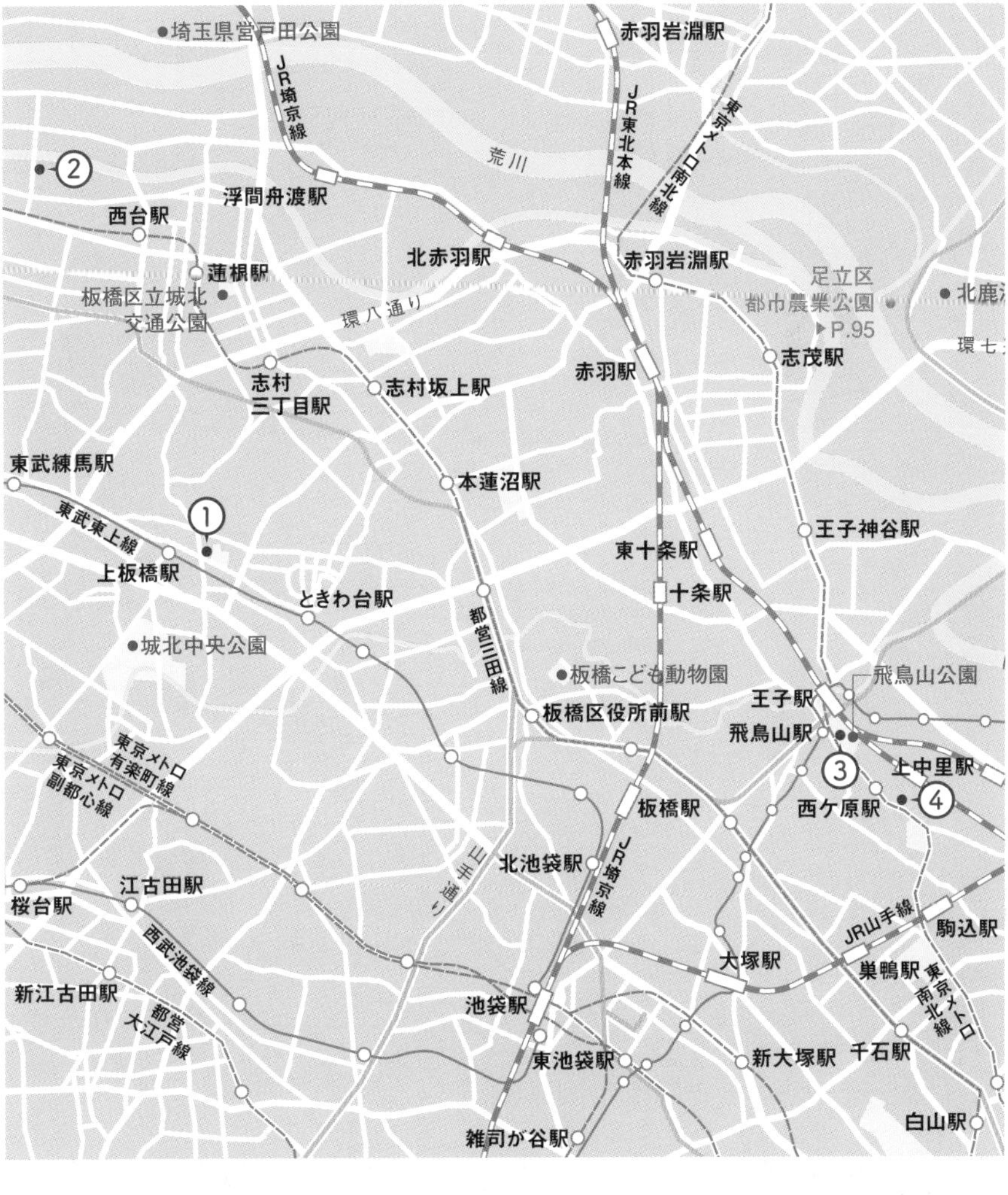
埼玉県営戸田公園
JR埼京線
荒川
浮間舟渡駅
西台駅
蓮根駅
板橋区立城北交通公園
北赤羽駅
環八通り
赤羽岩淵駅
JR東北本線
東京メトロ南北線
赤羽岩淵駅
足立区都市農業公園
▶P.95
北鹿浜
環七
志茂駅
赤羽駅
志村三丁目駅
志村坂上駅
東武練馬駅
東武東上線
本蓮沼駅
上板橋駅
ときわ台駅
都営三田線
東十条駅
十条駅
王子神谷駅
城北中央公園
板橋こども動物園
飛鳥山公園
王子駅
板橋区役所前駅
飛鳥山駅
上中里駅
東京メトロ有楽町線
東京メトロ副都心線
板橋駅
西ケ原駅
北池袋駅
JR埼京線
山手通り
江古田駅
桜台駅
JR山手線
駒込駅
西武池袋線
大塚駅
巣鴨駅
東京メトロ南北線
新江古田駅
都営大江戸線
池袋駅
東池袋駅
新大塚駅
千石駅
白山駅
雑司が谷駅

科学総合

板橋区立教育科学館

トリケラトプスの頭骨は全長約 1.5m でインパクト大。来館者を出迎える、この施設の「顔」のような存在。

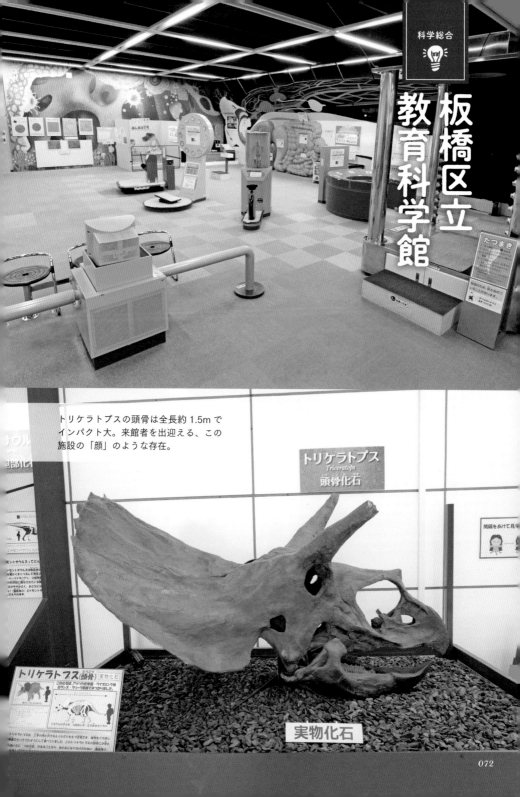

体験、実験、本物を気分のままに満喫

施設のテーマは身近な日常生活の中の科学。誰でも予約なしに参加できる「スライム作り」などのワークショップのほか、申し込み制の科学教室やプログラミング教室などさまざまなイベントが開催される。

未就学児から親子で参加できる予約なしのワークショップは、短時間のライトな内容のプログラムも数多く行われているので、気軽に参加できる。スタッフとの相互コミュニケーションの中から子どもの探究心を引き出す工夫がなされていて、大人向けのメッセージも盛り込まれている。

1、2階には爬虫類などの飼育されている生き物の展示や昆虫、そのほかの生物標本も。中でも圧倒的な存在感があるのは恐竜の化石標本。トリケラトプスの頭骨は、首の付け根の骨の形まで正確に残ったとても貴重な状態。さらに発見した化石群をそのまま保存したボーンベッドや、何千、何億年もの昔、木の樹脂に止まっていた虫が取り込まれた琥珀も多数展示されている。

1 広々としたホールから興味ある展示へ。2 ヒョウモントカゲモドキの「こげ」さん。恥ずかしがり屋で木の陰などに隠れていることが多いので探してみて。3 エドモントサウルスの足の化石。側に立って大きさを実感してみよう。

1

2

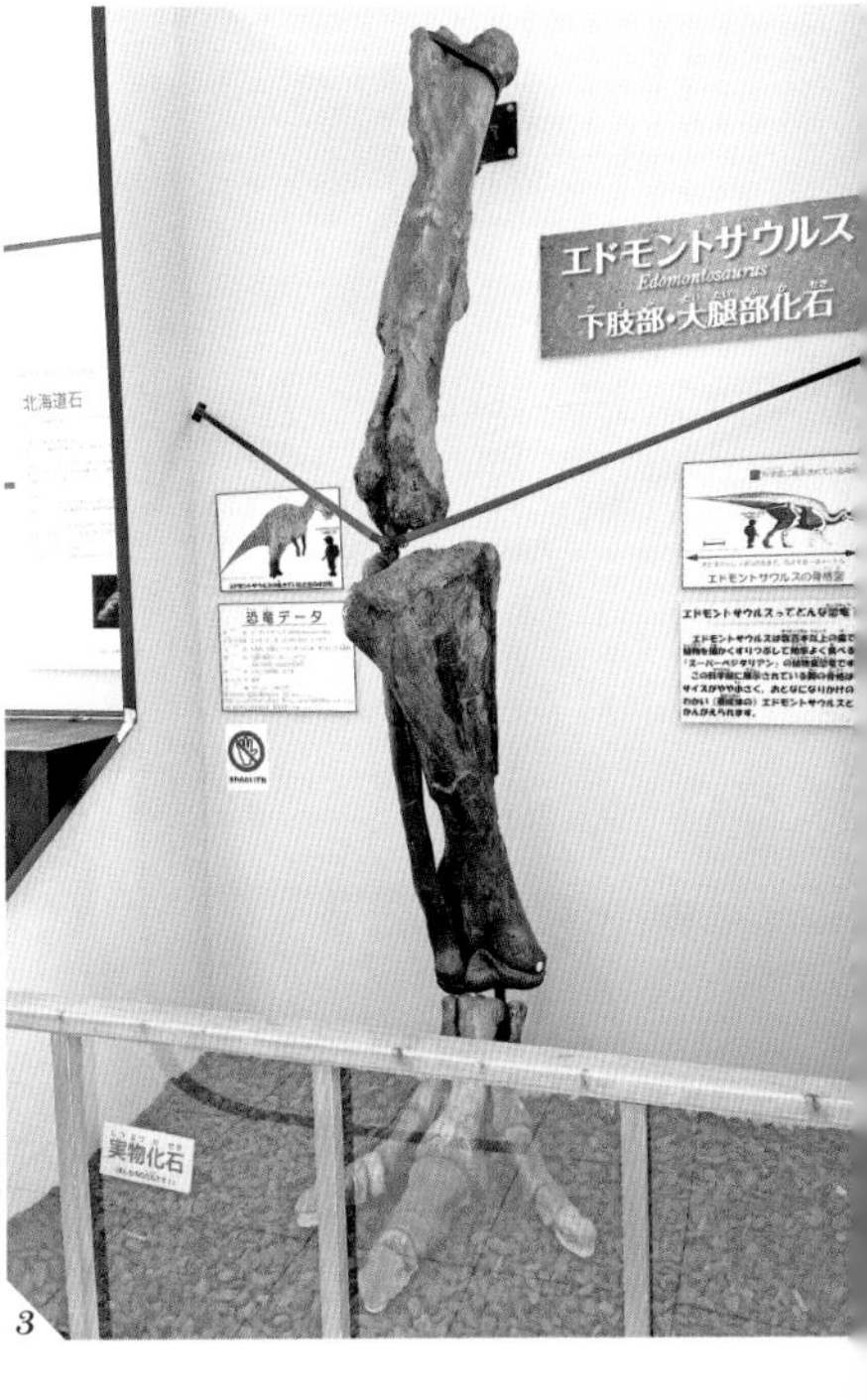

3

ソーラーカーレースや地震体験装置、リニアモーターカーなど、どれから体験するか迷いそうな地下科学展示室。

地下科学展示室には、エネルギー・交通・通信・災害・からだなどテーマ別の体験型常設展示が20種類以上あり、誰でも気軽に利用できる。体の錯覚を体験できる「不思議な部屋」や「竜巻体験」、「地震体験装置」など、子どもたちが自分の体で感じながら考えられる場になっている。

　プラネタリウムでは、天文解説員による星空の生解説はもちろん、子どもに人気のキャラクター番組や、幼児向けのキッズプラネタリウムのほか、天文・宇宙に関する最新トピックを扱うプログラムも。ここで見た星や星座を家に帰ってから実際の星空で探してみると、さらに興味が深まるだろう。

　また、年に数回行われるプラネタリウムコンサートや、星空の下でゆったりとした時間を過ごすヒーリングプラネタリウムなどのプログラムもぜひ体験してみたい。

予約不要で年齢制限もないワークショップ。スライムやウニランプづくり、簡単なプログラミングなどを30分程度の短い時間で気軽に体験できる。

板橋区立教育科学館からの

挑《ちょう》戦《せん》状《じょう》

Q.1

エドモントサウルスは何《なに》を食《た》べていた?

ヒントはここ!

1階《かい》ホール「エドモントサウルス化石《かせき》」

Q.2

ソーラーカーは何《なん》の力《ちから》を使《つか》って動《うご》くでしょう?

ヒントはここ!

地下《ちか》1階《かい》 科学展示室《かがくてんじしつ》「ソーラーカーレース」

Q.3

季節《きせつ》の星座《せいざ》を見《み》つけるための目《め》印《じるし》になる星《ほし》の名前《なまえ》は?

ヒントはここ!

1階《かい》プラネタリウム

DATA

板橋区立教育科学館

いたばしくりつきょういくかがくかん

- 東京都板橋区常盤台4-14-1
- 03-3559-6561
- 9：00～16：30（区内公立小中学校の夏休み期間は9：00～17：00）
  平均観覧時間：2時間
- 休 月曜（祝日の場合は翌日）
- ¥ 無料（プラネタリウムは別途料金）
- 未就学児～中学生
- 東武東上線上板橋駅（北口）から徒歩5分
- 一部のイベントは予約が必要
- https://www.itbs-sem.jp/

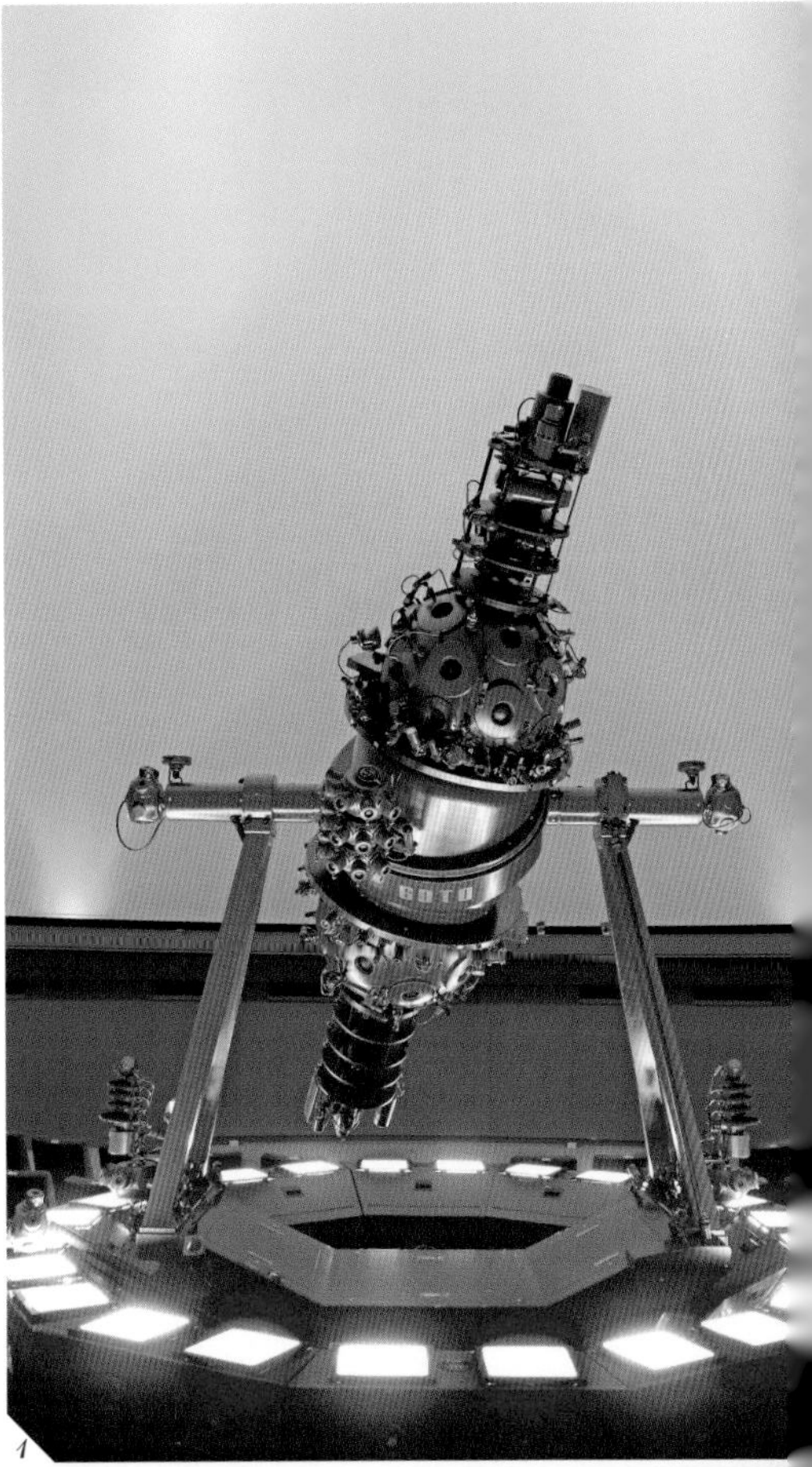

1

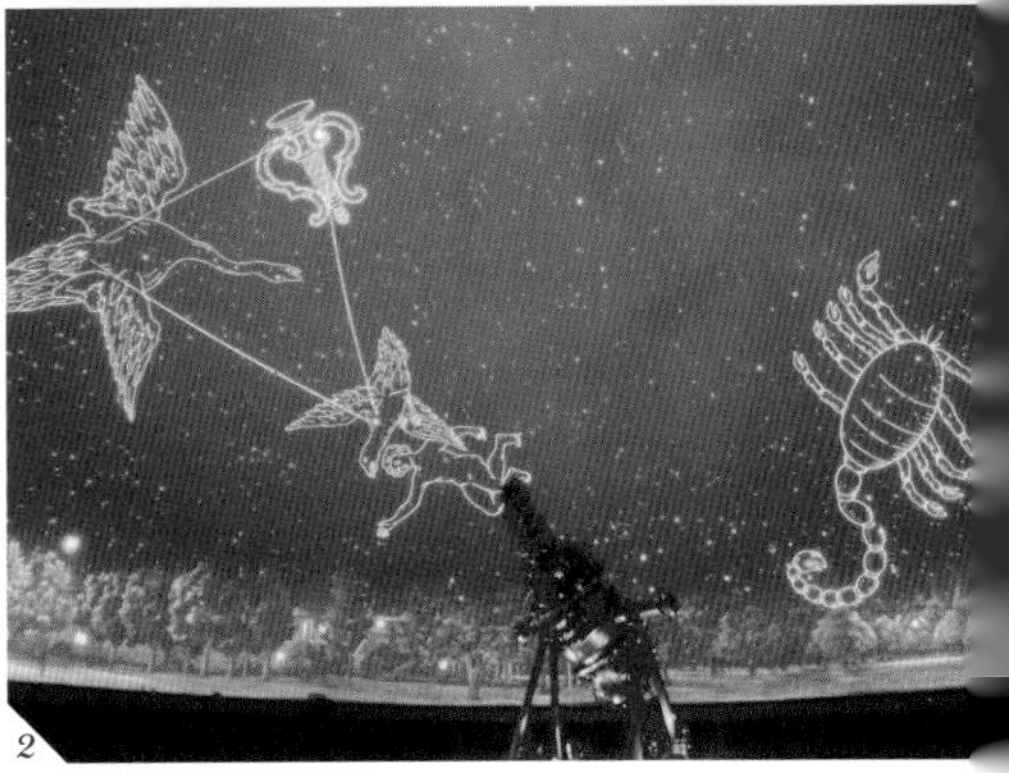

2

1 2 キャラクター番組からその日の星空、本格的な天文知識まで、工夫と試みにあふれるプラネタリウム。

植物　生物

板橋区立熱帯環境植物館

1階の温室には潮間帯植生、熱帯低地林、集落景観の3つのゾーンが。2階には熱帯の高山植物を展示する雲霧林（冷室）も。

魚も木も虫も！ 盛りだくさんの発見

東南アジアの熱帯雨林を再現するほか、冷室や水族館もあるから、一度にたくさんの生き物に出会える。見逃せないのは日本でここにしかいない世界最大の淡水エイ。長い名前を略した「チャオちゃん」がエサを食べる様子を毎日公開している。

　展示も多彩なプログラムも盛りだくさん。子どもたちが生き物や自然環境をより身近に感じられるよう、五感で楽しめる工夫がされている。夏休みはオリジナル「自由研究おたすけノート」の無料配布も。通年のスタンプラリーは季節や企画展に合わせて内容を変えている。

緑に囲まれた喫茶室クレア（土日祝日のみ営業）の「マレーシア風チキンカレー」は、スパイス、ハーブ、ココナッツミルクが溶け合う一番人気。

おすすめポイント

ミュージアムグッズ

白線画家・猫沢八郎さんとのコラボ作品で、熱帯の生きものをモチーフにしたステッカーやポストカードなどのグッズが大人気。

1 絶滅危惧種の淡水エイは環境を考えるきっかけにも。2 植物を種と一緒に展示している。館内の植物は約 700 種 2000 本。3 熱帯の昆虫たちを 360 度から観察できる巨大ジオラマ標本。4 海水、汽水、淡水の生物を約 150 種 2500 匹展示。

DATA

板橋区立熱帯環境植物館

いたばしくりつねったいかんきょうしょくぶつかん

- 東京都板橋区高島平8-29-2
- 03-5920-1131
- 10：00～18：00（入館は17：30まで）
  平均観覧時間：1時間
- 休 月曜（祝日・休日の場合は翌平日休館）
- ¥ 大人260円、小・中学生および65歳以上130円、毎週土・日曜および区立小学校の夏休みは小・中学生無料
- どなたでも
- 都営三田線高島平駅（東口）から徒歩7分
  国際興業バス「高島第一中学校」下車徒歩1分・「板橋特別支援学校」下車徒歩5分
- 一部のイベントは事前予約が必要
- https://www.seibu-la.co.jp/nettaikan/

板橋区立熱帯環境植物館からの

挑《ちょう》戦《せん》状《じょう》

Q.1

世界最大《せかいさいだい》の淡水《たんすい》エイの名前《なまえ》は?

ヒントはここ!

池水槽《いけすいそう》

Q.2

首《くび》の長《なが》いカメでも首《くび》はしまえる?

ヒントはここ!

地下水族館《ちかすいぞくかん》エリア「ジーベンロックナガクビガメ」の解説《かいせつ》

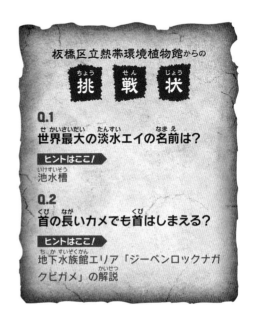

技術

紙の博物館

展示は実物見本や模型などを取り入れ体感的に学べるよう工夫。博物館のある飛鳥山公園は、花見の名所として知られる。

身近にある「紙」は　どうやってできる？

王子は日本の「洋紙発祥の地」と呼ばれる地。ここに伝統的な和紙、近代日本の発展を支えた洋紙の両面から、紙の歴史、文化・産業を紹介する博物館がある。紙に関する書籍も約1万5000冊を所蔵し、1階の図書室で利用可能だ。

「紙って何だろう?」のコーナーでは、紙の破れ目を虫眼鏡で観察したり、さまざまな原料からできた紙を比べたりすることで、紙が植物繊維からできていることを実感。紙を水に入れると繊維がバラバラになり、それを網でこして乾かすと再び紙になるなど、紙のリサイクルのしくみがわかる「紙のつくり方」も。

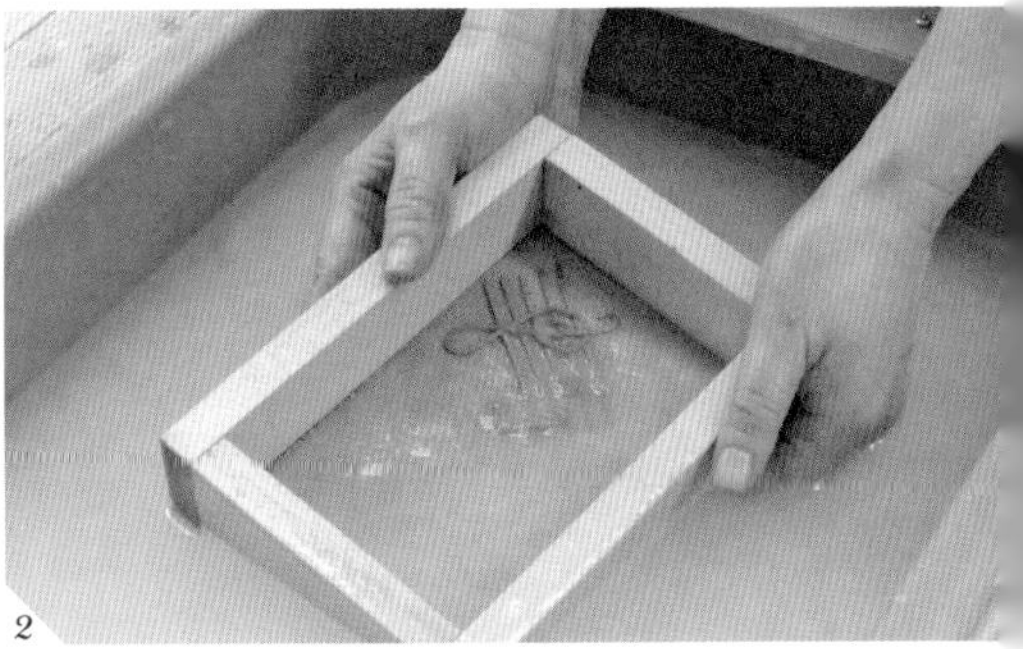

1 2

1 子どもも挑戦できるクイズなども多く、興味を引く展示に夢中になりそう。2 牛乳パックをもとに再生した原料からハガキをつくる紙すき教室は、10分弱で紙づくりを体験できるのがうれしい。

DATA

紙の博物館

かみのはくぶつかん

東京都北区王子1-1-3

03-3916-2320

10：00～17：00（入館は16：30まで）
平均観覧時間：1時間

休 月曜（祝日の場合は開館）、祝日の翌平日、臨時休館日

¥ 大人400円、小学生～高校生200円

小学校中学年～

JR京浜東北線王子駅（南口）から徒歩5分
東京メトロ南北線西ケ原駅から徒歩7分
東京さくらトラム（都電荒川線）飛鳥山停留場から徒歩3分
都営バス「飛鳥山」下車徒歩4分

一部のイベントは事前予約が必要

https://papermuseum.jp/ja/

紙の博物館からの

挑《ちょう》戦《せん》状《じょう》

Q.1

紙《かみ》は何《なに》からできているの？

ヒントはここ！

3階《かい》・紙《かみ》の教室《きょうしつ》「紙《かみ》って何《なん》だろう？」

Q.2

日本《にほん》の紙《かみ》の原料《げんりょう》は60%以上《いじょう》が○○！　○○に入《はい》る言葉《ことば》は?

ヒントはここ！

3階《かい》・紙《かみ》の教室《きょうしつ》「紙《かみ》のリサイクル～古紙《こし》の分別《ぶんべつ》～」

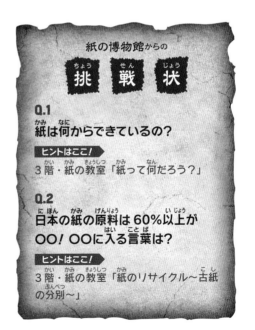

防災

東京都北区防災センター（地震の科学館）

地震後の部屋やブロック塀などの実物展示は臨場感があり、親子で防災意識を高めるきっかけになるはずだ。

災害の危険を体験し備えるきっかけに・・・・・・

防災に関する正しい知識を身につけることができる「地震の科学館」。阪神淡路大震災や東日本大震災など、過去に起こった地震を再現する起震装置があり、実際にその揺れを体験できる。

「命を守る」コーナーでは、地震が起きたあとに家具が倒れた部屋や崩れたブロック塀を展示。親子で身を守る方法を考えるきっかけにしてほしいとの願いが込められている。「生活を守る」コーナーでは、最低3日分は必要といわれる一家族分の備蓄品を展示。ライフラインの復旧までの目安や、生活を継続できる知恵と工夫が学べる。

1

2

1 館内では煙体験や初期消火訓練などもできる。2 家具の固定のしかたや食材の備蓄品など自分たちの家と照らし合わせて考えてみよう。

DATA

東京都北区防災センター（地震の科学館）

とうきょうときたくぼうさいせんたー（じしんのかがくかん）

- 東京都北区西ケ原2-1-6
- 03-3940-1811
- 9：00～17：00
  平均観覧時間：30分
- 休 月曜（祝日・休日の場合は開館、翌平日閉館）、祝日（土曜の場合は開館）
- ¥ 無料
- どなたでも
- JR京浜東北線上中里駅から徒歩5分
  東京メトロ南北線西ケ原駅（1番出口）から徒歩5分
- 一部の体験は事前予約が必要
- https://www.city.kita.tokyo.jp/bosaikiki/bosai-bohan/bosai/shobosho/kagaku/

東京都北区防災センター（地震の科学館）からの

挑《ちょう》戦《せん》状《じょう》

Q.1

地震《じしん》が起《お》きたとき、家《いえ》の中《なか》でけがをしないためにはどうすればいい？

ヒントはここ！

1階展示《かいてんじ》ホール「家具類《かぐるい》の転倒《てんとう》・落下《らっか》・移動防止《いどうぼうし》」コーナー

Q.2

地震《じしん》でトイレが使《つか》えなくなったらどうすればいい？

ヒントはここ！

1階展示《かいてんじ》ホール「生活《せいかつ》を守《まも》る」コーナー

生物

ファーブル昆虫館「虫の詩人の館」

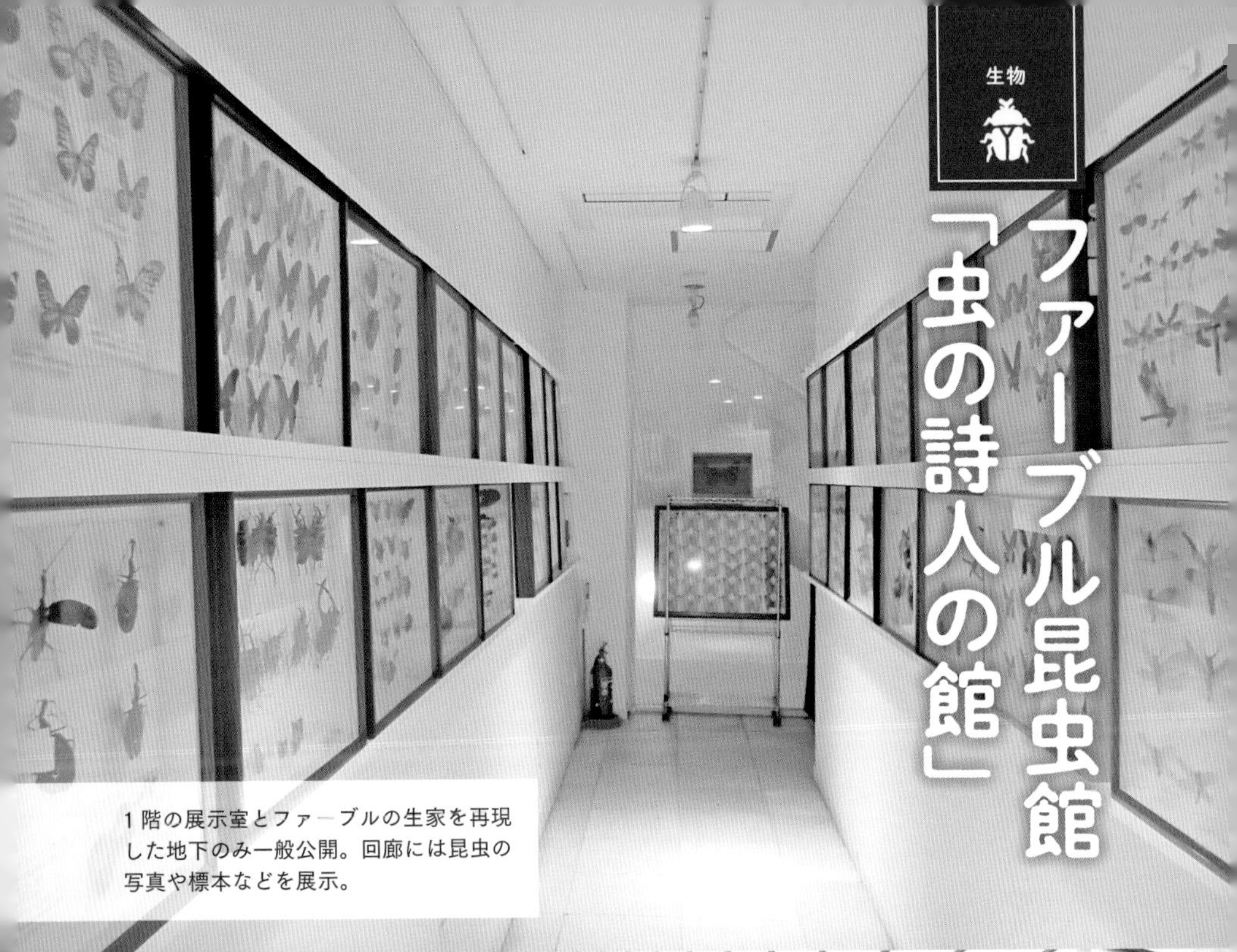

1階の展示室とファーブルの生家を再現した地下のみ一般公開。回廊には昆虫の写真や標本などを展示。

世界の昆虫標本がじっくり見られる

「ファーブル昆虫記」の著者である博物学者アンリ・ファーブルと、彼の生まれ故郷である南フランスの自然や文化を紹介する昆虫博物館。

自然の中で遊ぶことの少ない都会の子どもたちに、自然の美しさや不思議さなどを知ってもらおうと、計10万点以上の標本が収蔵されている。展示室はファーブルの生家を再現した空間になっていて、直筆ノートやファーブル昆虫記に関する標本も見ることができる。

標本教室や、昆虫観察、採集会も開催されていて、昆虫に興味のある子どもは虫たちとの触れ合いも楽しめる。

1 土・日のみ開館。不定期で標本教室や昆虫観察会なども行う。2 標本だけでなく生きた昆虫も展示。一部実際に触れることのできるものもある。

DATA

ファーブル昆虫館「虫の詩人の館」
ふぁーぶるこんちゅうかん「むしのしじんのやかた」

- 東京都文京区千駄木5-46-6
- 03-5815-6464
- 13：00〜17：00（土・日曜）
  平均観覧時間：1時間
- 休 平日
- ¥ 無料
- どなたでも
- JR山手線・京浜東北線西日暮里駅・田端駅から徒歩12分
  東京メトロ千代田線千駄木駅（1番出口）から徒歩12分
  東京メトロ南北線本駒込駅（2番出口）から徒歩10分
- イベントは事前に予約が必要（公式HPのイベント申込フォームにて受付）
- http://fabre.jp/

ファーブル昆虫館
「虫の詩人の館」からの
挑《ちょう》戦《せん》状《じょう》

Q.1
カブトムシが羽《はね》を広《ひろ》げた姿《すがた》はどんな姿《すがた》？

ヒントはここ！
1階展示室《かいてんじしつ》

Q.2
世界《せかい》一《いち》美《うつく》しいといわれるチョウの名前《なまえ》は？

ヒントはここ！
1階展示室《かいてんじしつ》

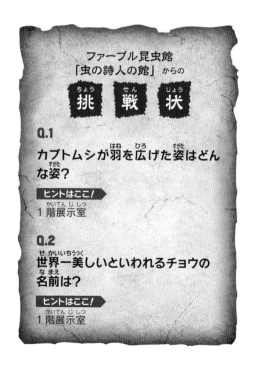

生物

足立区生物園

1年中さまざまな種類のチョウを観察できる大温室のほか、昆虫やモルモットなどの生き物と触れ合える。

生き物のリアルな暮らしを間近で観察

「足立区生物園」は、昆虫から魚、両生類、爬虫類、哺乳類まで、さまざまな生き物が間近で観察できる動物園。

　入り口近くにある観察展示室では、熱帯や亜熱帯で暮らす昆虫や爬虫類、東京湾に広がるアマモ場で暮らす魚や水生生物などを生息環境ごとに展示。水槽内への潜り込みなど、生き物目線でその行動を観察できるのが特長だ。生き物そのものだけでなく、環境とのつながりや、同じ環境で暮らす生き物同士の関係性についても観察できる。

　熱帯・亜熱帯の気候を再現し、一年を通じて無数のチョウが舞う「チョウの大温室」には、南方系のチョウであるオオゴマダラやリュウキュウアサギマダラから、東京23区でも見られるアゲハ類などの身近なチョウが同居。毎日決まった時間に、その日飼育室で羽化したチョウを来園者と一緒に放すプログラム「チョウを放そう！」に参加すると、より深いチョウの知識が得られる。

おすすめポイント

近場の子連れスポット

「足立区都市農業公園」では園内の田んぼや畑で無農薬・無化学肥料での栽培を行い、収穫物は園内マルシェで販売。自然を体験できるプログラムも多数実施する。

1 観察展示室では生き物を生息環境ごとに展示。2 身近なアゲハ類から南方系のオオゴマダラまで多種のチョウが同居。3 その日羽化したチョウを温室内に放す「チョウを放そう！」は毎日15:30～。

1

2

3

「ふれあいコーナー」は、モルモットやヤギ、ヒツジなどとの触れ合い体験やエサやり体験ができる人気スポット。40頭以上のモルモットにはすべて個性的な名前がついており、お気に入りの一頭を探すのも楽しい。また、動物の健康を把握するために必要なハズバンダリートレーニングを公開実演する「ヤギとヒツジの健康トレーニング」など、動物福祉を伝えるためのプログラムも実施している。生き物の個性やヒトと動物のつながりを知り、生き物と触れ合うことにより命のぬくもりを感じられるコーナーだ。

毎年5～6月頭には、庭園にある昆虫ドームでホタル観賞ができるイベントを開催。半屋外ドームのため、貴重な野生のホタルを高密度で見られる。都会に住む子どもたちにとっては、またとない機会となるだろう。

おすすめポイント

ミュージアムグッズ

好きなモルモットを選んでカスタマイズ（パターンはなんと1024億通り！）できる、世界に1つだけの「モルモットートバッグ」はオンラインショップで人気の商品。

熱帯・亜熱帯で暮らす昆虫や爬虫類、東京湾に広がるアマモ場で暮らす魚や水生生物などを間近で観察できる。

足立区生物園からの

挑《ちょう》戦《せん》状《じょう》

Q.1

タガメの口《くち》はどんな形《かたち》でしょう？

A: 針《はり》みたいに細《ほそ》い

B: ハサミみたいに2つある

C: 筆《ふで》みたいにフサフサ

ヒントはここ！

あだちの生《い》きもの観察室《かんさつしつ》「タガメの水槽《すいそう》」

Q.2

「らんちゅう」が持《も》っていないひれはどれ？

A: 胸《むね》のひれ　B: 背中《せなか》のひれ

C: しっぽのひれ

ヒントはここ！

出会《であ》いの広場《ひろば》「金魚《きんぎょ》の大水槽《だいすいそう》」

DATA

足立区生物園

あだちくせいぶつえん

- 東京都足立区保木間2-17-1
- 03-3884-5577
- 9：30〜17：00（2月〜10月）（入館は16：30まで）
  9：30〜16：30（11月〜1月）（入館は16：00まで）
  平均観覧時間：1時間〜2時間
- 休 月曜（祝日・都民の日（10月1日）の場合は開園、翌平日休園）、その他開園日あり
- ¥ 高校生以上300円、小・中学生150円、未就学児・70歳以上無料
- どなたでも
- 東武スカイツリーライン竹ノ塚駅（東口）から徒歩20分
- 一部のプログラムは事前予約が必要
- https://seibutuen.jp/

1 「出会いの広場」では金魚の大水槽がお出迎え。2 モルモットと触れ合ったり、ヤギのエサやり体験もできる。3 動物の健康を把握するための「ヤギとヒツジの健康トレーニング」の公開実演。

科学総合

ギャラクシティ こども未来創造館

遊びながら学べる体験型複合施設。2階と3階の間の階段には太陽系の惑星の大きさを見比べることのできる模型も。

体験型プログラムやイベントがたくさん・・・・・

遊びながら学べる体験型複合施設。国内最大級のネット遊具などの体を動かせる設備や、プラネタリウム「まるちたいけんドーム」などがあり楽しみ方はさまざま。

「太陽と惑星の大きさくらべ」では階段を上り下りしながら太陽系惑星の大きさを体感。「わくわくデスク」では木のパズルや迷路などのキットを使って、トライ＆エラーをしながら自分で考える体験ができる。

ほかにも、音楽イベントや多種の工作、ワークショップを毎日開催。館内をめぐって答えを探すクイズラリーなど、プログラムが盛りだくさんだ。

ギャラクシティ
こども未来創造館からの

挑《ちょう》戦《せん》状《じょう》

Q.1

太陽系《たいようけい》の中《なか》で最《もっと》も大《おお》きな惑星《わくせい》は?

ヒントはここ!

2階《かい》と3階《かい》の間《あいだ》の階段《かいだん》「太陽《たいよう》と惑星《わくせい》の大《おお》きさくらべ」

Q.2

丸《まる》いものの大《おお》きさはどうやって測《はか》るの?

ヒントはここ!

わくわくデスク15「ギャラクシティをはかってみよう・ながさ編《へん》」

1

2

3

1 モールに設置された誰でも使えるストリートピアノ。**2** 国内最大級のネット遊具やクライミングウォールなどアスレチックも充実。**3** 工作やものづくり体験、料理、音楽などさまざまな体験ができる複合施設。

DATA

ギャラクシティ こども未来創造館

ぎゃらくしてぃ こどもみらいそうぞうかん

- 東京都足立区栗原1-3-1
- 03-5242-8161
- 9：00～21：30（こども体験エリアは18：00まで）
平均観覧時間：半日
- 第2月曜（祝日の場合は開館、翌日休館）、
8月は休館日なし、1・3・9月に連続休館日あり
- 入場無料（まるちたいけんドーム（プラネタリウム）は別途料金）
- 未就学児～小学生
- 東武スカイツリーライン西新井駅（東口）から徒歩3分
- 一部のプログラムは事前申込が必要
- https://www.galaxcity.jp/

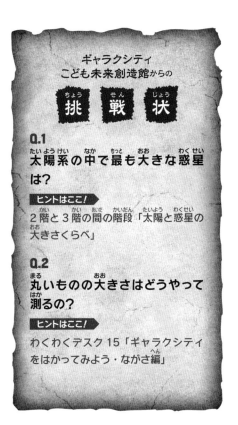

COLUMN

宇宙の壮大さを体感できるプラネタリウムに行ってみよう

夜空を見上げていると、遠い月や宇宙の大きさを感じませんか？　カナダ・トロント大学の研究では、宇宙や大自然などの広大さを前に「自分はなんて小さいんだろう」と感じる経験をしたとき、人は謙虚で素直な気持ちになり、前向きな思いを強くするのだとか。そんな体験をプラネタリウムでしてみませんか？

2022年にアップグレードした、さまざまな天文現象や宇宙の姿を再現するデジタルプラネタリウムソフトを搭載。星と音楽を掛け合わせたイベントや季節ごとのイベントも多数開催。

渋谷の街から星空と宇宙の世界へ！

コスモプラネタリウム渋谷

26万5千個の肉眼で見る自然な星を再現した光学式投影機とデジタルプラネタリウムソフト、プロジェクターのハイブリッドプラネタリウムシステムを完備。土日祝日には未就学児から小学校低学年を対象としたキッズタイムも。

星空クイズ

Q. 天の川銀河とアンドロメダ銀河が近づいて合体するのはいつごろでしょう？
A：約4億年後　B：約40億年後
C：約400億年後

Q. 現在、太陽系の惑星で最も多くの衛星（149個）が報告されている惑星はどれ？
A：木星　B：土星　C：天王星

住所 東京都渋谷区桜丘町23-21 渋谷区文化総合センター大和田12階　電話番号 03-3464-2131　営業時間 火～金曜12:00～20:00、土・日曜・祝日10:00～20:00　休館日 月曜（祝日の場合は開館、翌平日休館）　料金 大人600円、小・中学生300円、未就学児300円（席を使わず保護者の膝上の場合は無料）　アクセス JR渋谷駅（西口）から徒歩5分　予約 約1週間前からウェブ、現地券売機にて予約可能 ※土・日曜・祝日は込み合うので予約推奨

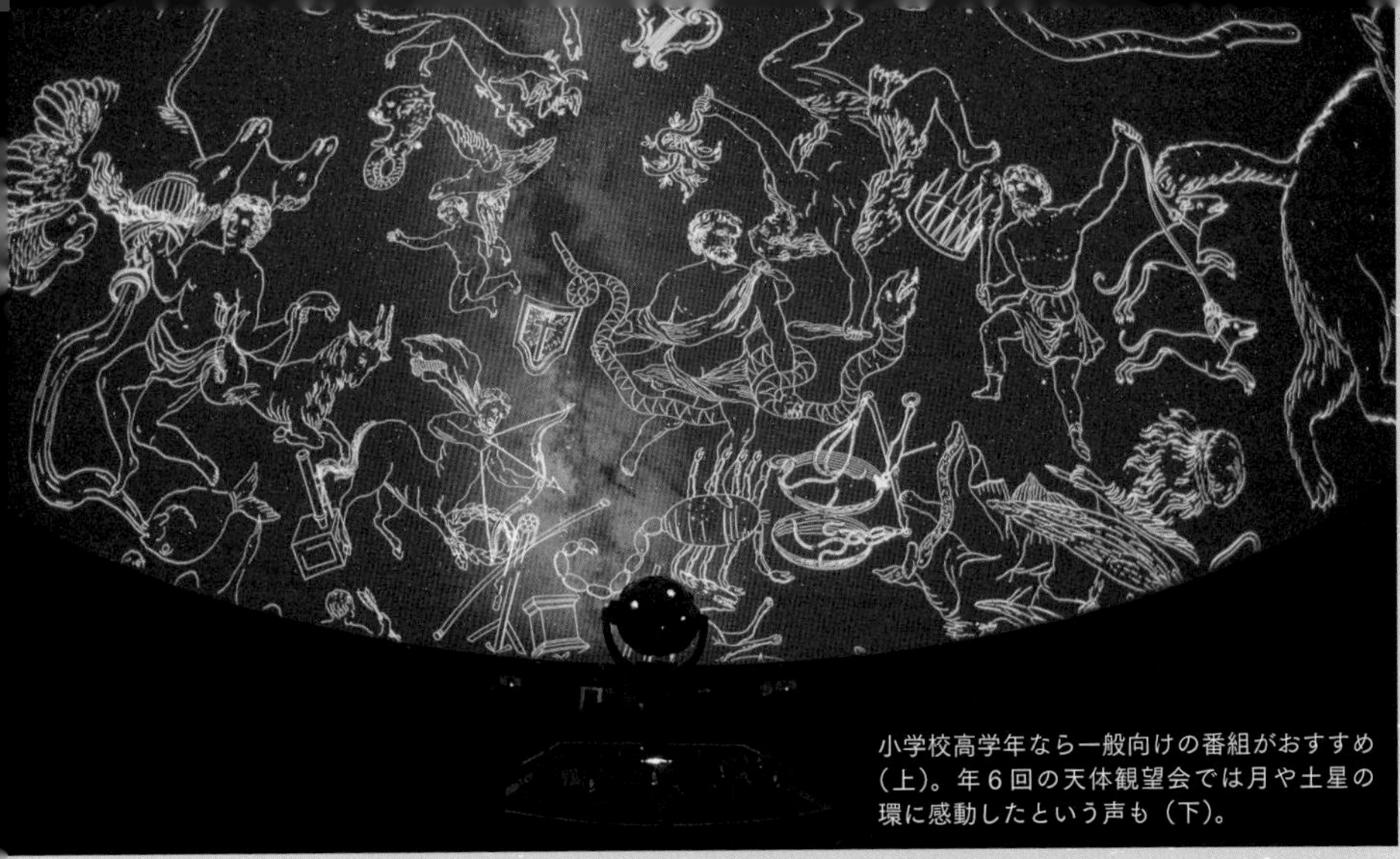

小学校高学年なら一般向けの番組がおすすめ（上）。年６回の天体観望会では月や土星の環に感動したという声も（下）。

解説員とのコミュニケーションが楽しい

世田谷区立中央図書館 プラネタリウム

世界最高クラスの約１億4000万個の星を映す光学式投影機と全天周デジタル映像システムを備えた施設。幼児〜小学校低学年向けの「ちびっこタイム」では、解説員が子どもたちとやり取りしながら番組を進めてくれる。

星空クイズ

Q. 太陽系の惑星は全部でいくつ？
A：７個　B：８個　C：９個

住所 東京都世田谷区弦巻3-16-8　電話番号 03-3429-0780　営業時間 土・日曜・祝休日11:00〜、13:30〜、15:30〜（投影開始時刻）休館日 平日（区内小中学校の長期休業期間は除く）、第3日曜　料金 高校生以上400円、小・中学生100円（土日曜・祝日無料）、未就学児無料　アクセス 東急バス弦巻営業所より徒歩1分、東急世田谷線上町駅・東急田園都市線桜新町駅より徒歩10分　予約 観覧券は当日9時から現地で販売開始（先着140名）

声出しOKのプログラムもあり

新宿コズミックセンター プラネタリウム

投影機は昔ながらのアナログマシン五藤光学 G1014si、薄紫の本体は見た目も魅力的だ。絵本をプラネタリウムドームに映して読み聞かせをする年に数回の「おはなしまつり」も必見。

星空クイズ

Q. 北斗七星はある星座の一部です。どちらの星座でしょう？
A：おおぐま座　B：こぐま座

星空と音楽を融合させた「星空コンサート」は年４回ほど行われる。

住所 東京都新宿区大久保3-1-2　電話番号 03-3232-7701　営業時間 9：00〜17：00（一般公開は各日10：30〜、13：30〜、15：00〜）　休館日 一般公開は原則月2日開催（詳細はウェブサイト等を要確認）　料金 大人300円、中学生以下無料　アクセス 東京メトロ副都心線西早稲田駅（3番出口）より徒歩3分予約 一般公開は予約不要。各回開始30分前から受付

シートが左右に30度ずつ回転するので、楽な姿勢で全天を見渡せる（上）。靴を脱いで遊べるキッズスペースには星座のパズルも（下）。

0歳から見られるプラネタリウム

ベネッセスタードーム

株式会社ベネッセコーポレーションのオフィスビル最上階にある施設で、子どもに人気のキャラクターを使った番組などを上映。小さなお子さんの「プラネタリウムデビュー」にもぴったりだ。

星空クイズ

Q. 月は地球からどのくらい離れているでしょう？
A：新幹線で約4日
B：新幹線で約20日
C：新幹線で約50日

住所 東京都多摩市落合1-34 ベネッセコーポレーション東京ビル21階　電話番号 非公開　営業時間 一般公開日(主に土曜・日曜・祝日) ①11:00 ②13:30 ③15:00 ④16:30　休館日 月・木曜(祝日の場合は開館、翌日休館)　料金 大人(高校生以上) 400円、子ども(中学生以下) 200円 ※膝上の子どもは無料、シルバー(65歳以上) 200円　アクセス 京王相模原線・小田急多摩線多摩センター駅より徒歩5分、多摩都市モノレール多摩センター駅より徒歩7分　予約 整理券配布の有無については公式HPにて要確認

光学式投影機 CHRONOS II と全天周デジタルシステムによって、リアルな星空と迫力のある映像を楽しめる。

一期一会のライブ解説を大切に

品川区立五反田文化センター プラネタリウム

当日の来場者の年齢層などに合わせて話す内容や言葉選びなどを変えるという生解説が魅力。年に数回の「天文工作教室」や「五反田宇宙ミュージアム」などのイベントも大好評だ。

住所 東京都品川区西五反田6-5-1　電話番号 03-3492-2451　営業時間 8:30～21:30（日曜・祝日は～17:00）　休館日 第4月曜　料金 大人200円、4歳～中学生50円（3歳以下で席を使用する場合は50円、膝上は無料。プログラムにより特別料金あり）　アクセス JR山手線・都営線五反田駅より徒歩15分、東急線大崎広小路駅より徒歩10分、東急線不動前駅より徒歩7分　予約 プログラムによっては事前申込が必要

星空クイズ

Q. 88 個ある星座のうち、日本から見えない星座はいくつあるでしょう？

昔懐かしいオールドスタイル

なかのZERO プラネタリウム

昔ながらの恒星原板を使った光学式プラネタリウム。1972 年の開館から、解説員による生解説を中心に七夕やクリスマスなど季節に合わせたさまざまなイベントを実施している。

住所 東京都中野区中野2-9-7　電話番号 03-5340-5045　営業時間 一般投映（大人向け）：土・日曜・祝休日 14:00～、16:00～（50分）、ちびっこプラネ（幼児～小学校低学年向け）：第1・2・3・5 土曜11:00～（40分）、こども星空探偵団（小学校中学年以上向け）：第4土曜11:00～（50分）※イベント投映を除く　休館日 月～金曜（祝休日は開館）※イベント投映を除く　料金 大人（高校生以上）230 円、子ども（3 歳以上）110 円 ※イベント投映を除く　アクセス JR・東京メトロ東西線中野駅（南口）から徒歩8分　予約 イベント投映は予約が必要な場合あり

直径 15 mのドームには約 8500 個の星が映し出される。

星空クイズ

Q. なかの ZERO プラネタリウムで投映される星は何等星までの星でしょう？

特別投映「ベビープラネタリウム」は真っ暗にならない（上）。より本物に近い星空の再現にこだわる（下）。※2024年夏ごろまで博物館本館（プラネタリウム含む）は改修工事のため休館

提供：府中市郷土の森博物館

2024年夏ごろ再開予定

府中市郷土の森博物館 プラネタリウム

約1億個の星を映し出す光学式投映機「ケイロンIII」を用いたハイブリッド・プラネタリウム。小さな子どもと一緒に楽しめるプログラムも行っている。改修工事中も博物館園内でミニプラネタリウムやワークショップなどを開催している。

星空クイズ

Q. 東京都府中市と関係の深い小惑星の名前は？
A：ムサシフチュウ　B：トウキョウトフチュウシ
C：フチュウケイバジョウ

住所 東京都府中市南町6-32　電話番号 042-368-7921　営業時間 9:00～17:00（入場は16:00まで）　休館日 月曜（休日の場合は開館、翌平日休館）※臨時休館日・開館日あり　料金 大人600円、中学生以下300円（博物館入場料が別に必要。大人300円、中学生以下150円）、4歳未満無料　アクセス 京王線・JR南武線「分倍河原駅」から徒歩20分　予約 土・日曜、祝日および特定の日に限り観覧日の2週間前からweb事前購入可能、当日券もあり

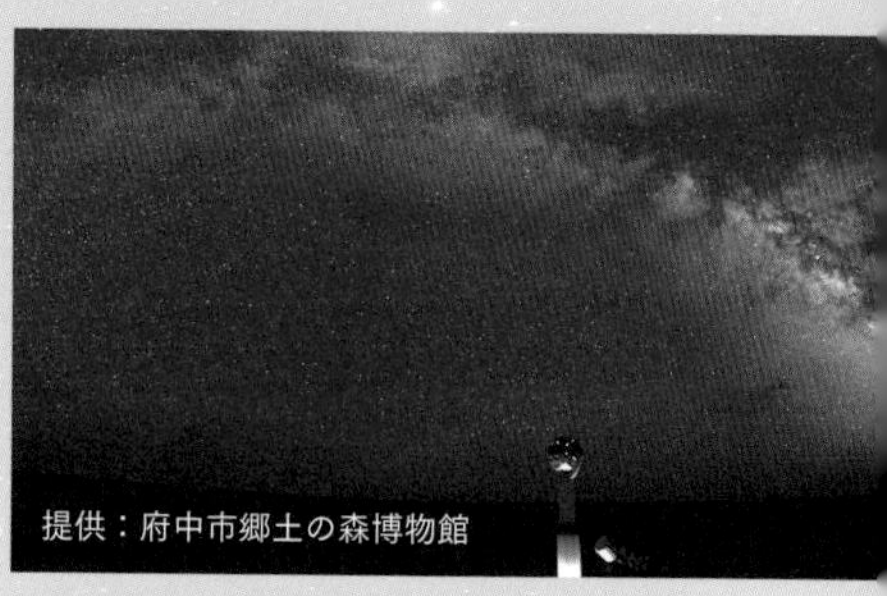

提供：府中市郷土の森博物館

自然豊かな“トトロの森”のすぐそば

東大和市立郷土博物館

星空クイズ

Q. つぎのうち実際にある星座はどれでしょう？
A：きつつき座　B：ふくろう座　C：はくちょう座

住所 東京都東大和市奈良橋1-260-2　電話番号 042-567-4800　営業時間 9:00～17:00　休館日 月曜（祝日の場合は開館）、祝日の翌日　料金 大人300円、小中学生100円、未就学児無料（博物館の入館料はいずれも無料）アクセス 西武拝島線東大和市駅から西武バス「八幡神社」下車徒歩2分　予約 不要

プラネタリウムクリエーター大平貴之氏が手掛けた「MEGASTAR-II B」。

子どもから大人まで楽しめる番組ラインナップを用意。七夕とクリスマスの時期にある特別投影では、職員が直接、星に関するお話をしてくれる。

提供：国立天文台

直径10mのドームスクリーン。上映はすべて係員による生解説。

月に3回の大迫力の天体ショー

国立天文台 4D2Uドームシアター

国立天文台4D2Uプロジェクトが開発したインタラクティブ4次元デジタル宇宙ビューワー「Mitaka」と立体視用のメガネを使った迫力の全天周立体映像を展開。観測と理論計算をもとに、いま解明しつつある宇宙を可視化している。

星空クイズ

Q. 太陽系の中の小さな天体・小惑星。2023年8月までに発見された小惑星の数はおよそいくつ？
A：1万　B：10万　C：100万

住所 東京都三鷹市大沢2-21-1　電話番号 0422-34-3688　営業時間 毎月第1土曜・第2土曜の前日・第3土曜のいずれも13:30～　料金 無料　アクセス JR中央線武蔵境駅・京王線調布駅からバスで約15分　予約 要事前web予約（公開当日に空席があれば当日受付可）

そのほか本書に掲載中のプラネタリウムのある施設

PART 4 東京その他

花小金井
青梅街道
小金井街道
花小金井駅
西武新宿線
小金井公園

経堂駅
千歳船橋駅
小田急小田原線
経堂5
桜丘中学校
東京農業大
世田谷通り
馬事公苑

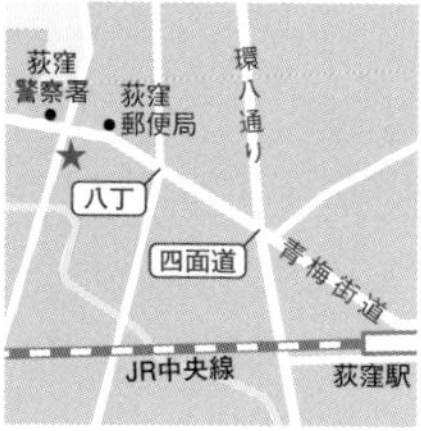
荻窪警察署
荻窪郵便局
環八通り
八丁
四面道
青梅街道
JR中央線
荻窪駅

上千葉砂原公園
葛飾野高
上千葉小
ライフ
白鳥小
京成本線
お花茶屋駅

環七通り
葛西駅
東京メトロ東西線
葛西駅前

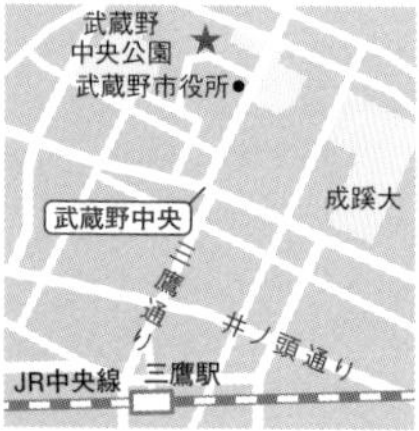
武蔵野中央公園
武蔵野市役所
成蹊大
武蔵野中央
三鷹通り
井ノ頭通り
JR中央線
三鷹駅

新青梅街道
小平霊園
滝山南
錦城高
小平駅
小平第七小
西武新宿線

10 マヨテラス ………… p.120

9 コニカミノルタサイエンスドーム（八王子市こども科学館） ………… p.116

8 国立極地研究所 南極・北極科学館 ………… p.114

13 奥多摩水と緑のふれあい館 ………… p.126

12 コカ・コーラボトラーズジャパン多摩工場 ………… p.124

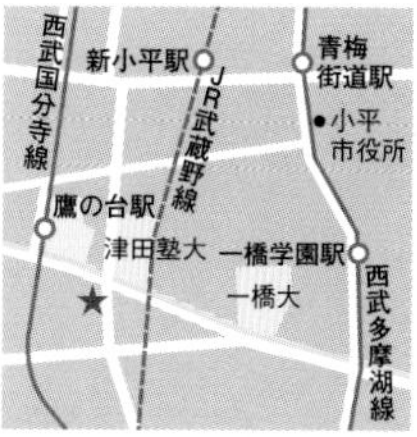

11 小平市ふれあい下水道館 ………… p.122

科学総合

多摩六都科学館

「地球の部屋」では地球という大きな存在と、自分の足元の大地を結びつけて考えられるような工夫が随所に見られる。

日常を科学の目で見て広がる世界

球体が特徴的な外観は、直径27・5メートルのプラネタリウムドーム「サイエンスエッグ」。ドーム型プラネタリウムでは世界最大級の傾斜型ドームで、足元から頭上まで星空や映像に包まれる。光学式投映機「CHIRONⅡ」が映し出す1億4000万を超える星たちが輝くと感動に包まれる。

このプラネタリウムでは、スタッフによる生解説も名物。「人の魅力」で科学の魅力に気づかせてくれる施設でもある。プラネタリウム以外でも、スタッフが来館者のわくわくや好奇心に寄り添い、ナビゲーターの意識を持って気づきを促してくれる

1

2

3

1 2 プラネタリウムではプログラム終了後に「ここで知ったことを実際の星空で確かめてみてください」と呼びかけている。3 都市のインフラと、ものが動くしくみを探る「しくみの部屋」。

のだ。そのため幼少期から通い続け、解説員やボランティアとして活動しているファンもいる、愛される科学館だ。

　合言葉は「Do Science!」。５つの展示室や自然豊かな庭に散りばめられた１００点の体験展示を楽しみ、自分なりの科学の面白さを発見したい。

おすすめポイント

お食事スポット

施設内にあるカフェ「六都なおきち」では地元産の野菜をたっぷり使った食事やスイーツが味わえる。人気メニューは「トマトと国産豚の赤味噌ハヤシ」。

地球を横目に月の重力を疑似体験できる「ムーンウォーカー」（上）。人間とそれ以外の体についてを学ぶ「からだの部屋」。

展示室は「チャレンジの部屋」「からだの部屋」「しくみの部屋」「自然の部屋」「地球の部屋」に分かれている。

「チャレンジの部屋」では、頭や体を使って挑戦することで宇宙の不思議を探究。「地球の部屋」では、石や鉱物、化石に触れ「地球のなりたちに興味がわいた」という来館者が多いとか。ジオラマなどから身近な生き物の姿に気づけるのは「自然の部屋」。

チャレンジの部屋を除き、各部屋にはラボが設けられていて、少人数ずつでスタッフとコミュニケーションをとりながら、各部屋のテーマに沿った工作や実験、観察などのプログラムを体験できる。「からだの部屋」のボランティアスタッフが運営する「からだラボ」のまわりは、来館者でいつもいっぱいだ。

多摩六都科学館からの 挑《ちょう》戦《せん》状《じょう》

Q.1

地球《ちきゅう》から最《もっと》も遠《とお》いところにいる惑星探査機《わくせいたんさき》の名前《なまえ》は?

ヒントはここ!

エントランス上空《じょうくう》・プラネタリウム前《まえ》ホワイエ

Q.2

隕石《いんせき》は大《おお》きく分《わ》けて3種類《しゅるい》あります。鉄質隕石《てつしついんせき》と石質隕石《せきしついんせき》ともう1つは何《なに》?

ヒントはここ!

地球《ちきゅう》の部屋《へや》

Q.3

常温《じょうおん》で液体《えきたい》の元素《げんそ》2つは何《なに》?

ヒントはここ!

チャレンジの部屋《へや》「実物元素周期表《じつぶつげんそしゅうきひょう》」

「しくみの部屋」では、ロボット博士と呼ばれた相澤次郎氏がつくった昭和30～40年代のロボットも展示。

DATA

多摩六都科学館

たまろくとかがくかん

- 東京都西東京市芝久保町5-10-64
- 042-469-6100
- 9：30～17：00（入館は16：00まで）
  平均観覧時間：4時間
- 月曜（祝日・振替休日の場合は開館、翌日休館）、祝日の翌日、その他機器整備の休館あり
- 大人520円、4歳～高校生210円、プラネタリウムまたは大型映像は別途料金
- どなたでも
- 西武新宿線花小金井駅から徒歩18分
  はなバス「多摩六都科学館」下車すぐ
  西武バス「科学館南入口」下車徒歩7分
- 一部のイベントは事前予約が必要
- https://www.tamarokuto.or.jp/

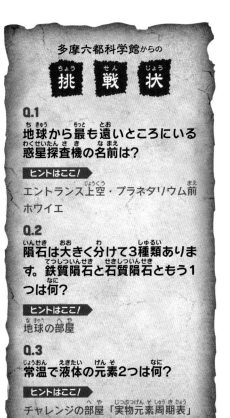

その他

東京農業大学「食と農」の博物館

東京農業大学で使用されていたトラクター3台を展示。今でも動かせるように、動態展示されている。

食と農のつながりを親子で再確認しよう

東京農業大学が運営する「食と農」の博物館は、地域に開かれた大学博物館として研究情報の発信を行っている。

入り口では、2品種のニワトリを飼育展示。さらに、尾羽の長さが6メートルを超える特別天然記念物のオナガドリをはじめ、120体以上のニワトリのはく製を展示している。私たちが日常的に食べている鶏肉や卵は家畜動物の〝いのち〟であり、日々恩恵を受けていることなどを親子で話せる機会となるだろう。

ナイフフィッシュやワオレムール（キツネザル）なども子どもの視線に合うよう飼育展示されていて、間近で観察できる。

1 子どもたちに人気のケヅメリクガメ。2 120体以上のニワトリのはく製を展示。観賞用や肉食用など用途をアイコンで表記している。私たちの生活に欠かせない家畜動物や畜産業の重要性を考えるきっかけになるはず。

DATA

東京農業大学「食と農」の博物館
とうきょうのうぎょうだいがく「しょくとのう」のはくぶつかん

- 東京都世田谷区上用賀2-4-28
- 03-5477-4033
- 9：30〜16：30　平均観覧時間：1時間
- 休 日・月曜、祝日、大学が定める日
- ¥ 無料（バイオリウムツアーは高校生以上500円、小・中学生250円）
- どなたでも
- 小田急線経堂駅・千歳船橋駅から徒歩20分
東急バス「農大前」下車徒歩3分
- バイオリウムツアーは要電話予約（03-3420-7449）ほか一部のイベントは要web予約の場合あり
- https://www.nodai.ac.jp/campus/facilities/syokutonou/

東京農業大学
「食と農」の博物館からの
挑《ちょう》戦《せん》状《じょう》

Q.1
シーラカンスが生息《せいそく》する海《うみ》はどこ？

ヒントはここ！
1階《かい》バイオリウム入り口「古代型魚類《こだいがたぎょるい》シーラカンスのレプリカ」

Q.2
世界最大《せかいさいだい》の卵《たまご》から生《う》まれる鳥《とり》の名《な》前《まえ》は？

ヒントはここ！
展示室《てんじしつ》2階《かい》・鶏《にわとり》の剥製標本《はくせいひょうほん》コレクション「卵《たまご》の展示《てんじ》コーナー」

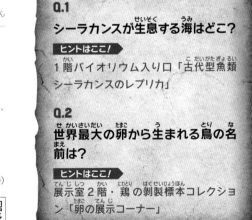

技術

東京工芸大学 杉並アニメーションミュージアム

声優気分でアニメ映像に声を入れる人気のアフレココーナー（下）など、アニメ制作の裏側をのぞいてみよう。

アフレコ体験も！アニメの奥深さを発見

日本が世界に誇るカルチャーの1つ、アニメ。そのつくり方やしくみ、技術の進歩などを見て、体験して味わえる施設には、夢中になってしまいそうなトピックがいっぱい。「日本のアニメの歴史」コーナーでは「懐かしい！」の声が響き、アニメ監督の机が再現された「アニメが出来るまで」では、誰かに話したくなる発見が。映像に声を入れるアフレコ体験や、自分の描いた絵が「パラパラアニメ」で動くワクワク体験も。年に2～3度入れ替わる企画展では、知らない名作に出会ったり、大好きな作品の世界に浸ったりすることができる。

1 自分でアニメをつくってみよう。絵が苦手でもお手本があるので安心。自分の描いた絵が動くのは感動！ 2 日本のアニメが誕生してから現在までの歴史が学べる。

DATA

東京工芸大学 杉並アニメーションミュージアム

とうきょうこうげいだいがく すぎなみあにめーしょんみゅーじあむ

- 東京都杉並区上荻3-29-5 杉並会館3階
- 03-3396-1510
- 10：00～18：00（入館は17：30まで）平均観覧時間：1時間
- 休 月曜（祝日の場合は開館、翌日休館）、臨時休館日
- ¥ 無料
- どなたでも
- JR中央線・東京メトロ丸ノ内線荻窪駅（北口）から徒歩20分、JR中央線西荻窪駅（北口）から徒歩15分、関東バス「荻窪警察署前」下車徒歩2分
- 一部のイベントは整理券や事前申込が必要（詳細は公式HPを要確認）
- https://sam.or.jp/

東京工芸大学 杉並アニメーションミュージアムからの

挑《ちょう》戦《せん》状《じょう》

Q.1

アニメに声《こえ》を入《い》れる「アフレコ」という言葉《ことば》のもとになった英語《えいご》は？

ヒントはここ！

アニメが出来《でき》るまでのコーナー「アフレコ体験《たいけん》ブース」

Q.2

アニメの1秒間《びょうかん》には大体何枚《だいたいなんまい》くらいの絵《え》が描《えが》かれているでしょう？

ヒントはここ！

アニメの歴史《れきし》のコーナー

※平成30年9月より東京工芸大学とネーミングライツ協定を締結。

気象・天文

葛飾区郷土と天文の博物館

葛飾の自然や歴史、そして宇宙を身近なものとして体験できる場所。屋上には大きな太陽望遠鏡がある。

葛飾の自然と歴史、宇宙や天体に親しむ

郷土葛飾の自然と歴史や、宇宙を身近なものとして体験する場とするために設置された「葛飾区郷土と天文の博物館」。プラネタリウムや展示室では新しい発見をし、楽しく学べる工夫がされている。

子どもたちに人気の「フーコーの振り子」は、地球の自転が体感できる展示。屋上の太陽望遠鏡がとらえた『いま』の太陽の姿が見られる、太陽望遠鏡の映像展示コーナーも必見だ。

春・夏・冬休みには、「星の学校」を開校。子どもたち同士のグループワークも体験でき、工作や観察をしながら学ぶ楽しさを共有できる。

葛飾区郷土と天文の博物館からの

挑《ちょう》戦《せん》状《じょう》

Q.1

地球《ちきゅう》が回《まわ》っていることをどうやって知ったの？

ヒントはここ！

2階常設展示室《かいじょうせつてんじしつ》「フーコーの振《ふ》り子《こ》」

Q.2

昔《むかし》の人《ひと》が使《つか》っていた「天文尺時《てんもんしゃくど》計《けい》」は空《そら》の何《なに》を見《み》て時間《じかん》を調《しら》べていたの？

ヒントはここ！

2階常設展示室《かいじょうせつてんじしつ》「天文尺時計《てんもんしゃくどけい》」

1

2

1 一定方向に振れているはずの振り子だが、地球の自転によって少しずつ向きが変わって見えるのが面白い。**2** 3階のプラネタリウム。休日の午前中は小さい子ども向けの番組も上映している。

DATA

葛飾区郷土と天文の博物館

かつしかくきょうどとてんもんのはくぶつかん

- 東京都葛飾区白鳥3-25-1
- 03-3838-1101
- 9：00～17：00（火曜～木曜・日曜、祝日）
9：00～21：00（祝日を除く金・土曜）
平均観覧時間：2時間
- 月曜（祝日の場合は開館）、第2・4火曜（祝日の場合は開館、翌日休館）
- 大人100円、小・中学生50円、幼児無料
（プラネタリウムは別途料金）
- 小学校中学年～中学生
- 京成電鉄お花茶屋駅から徒歩8分
JR総武線亀有駅から徒歩25分
- イベント講座は原則事前申込が必要
- https://www.museum.city.katsushika.lg.jp/

おすすめポイント

ミュージアムグッズ

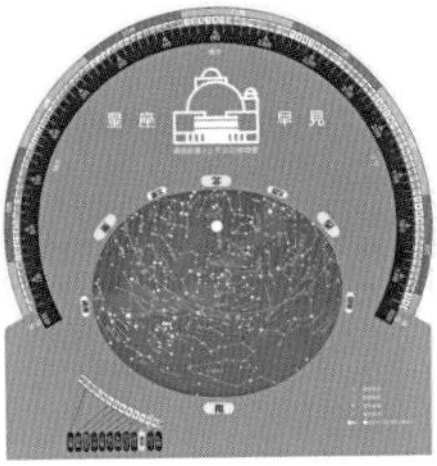

日にちと時間を合わせると、夜空にどんな星座が見えているかがわかる。見たい方角を下に持ち、空にかざしてみよう。

技術

地下鉄博物館

1927 年製の地下鉄第 1 号車（通常立入不可）と 1954 年製の丸ノ内線第 1 号車。1954 年製の車両は中に入ることができる。

地下鉄のさまざまな魅力が満載の博物館

地下鉄の歴史から最新技術まで「みて、ふれて、動かして」理解・体験できる参加型ミュージアム。赤い車体が目を引く「丸ノ内線３０１号車」は、１９５４年にデビューした当時としては斬新なデザインと冷房のない車両が特徴で、現役を退いた当時のまま展示されており車内に入ることができる。

また、実物と同じトンネルを間近で見られる「単線シールドトンネル」や、「電車運転シミュレーター」も大人気だ。自動車と異なる独特な操縦方法や運転中の揺れ、惰性で走れる感覚などを体験することで、より鉄道への興味が増すだろう。

1

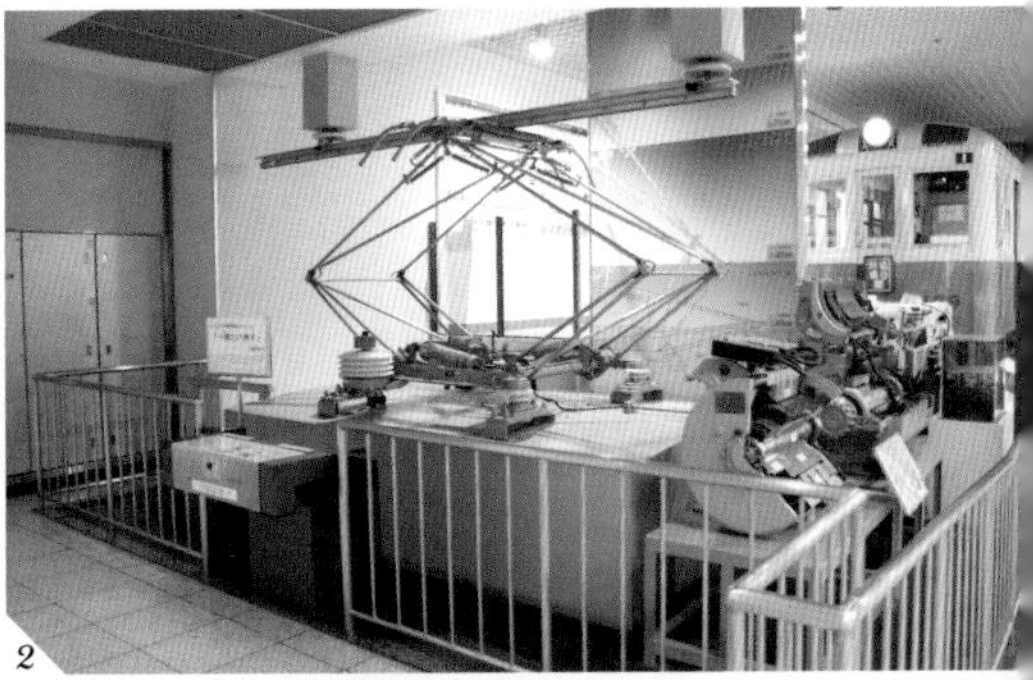
2

3

4

1 実物大の単線シールドトンネル。スケール感を味わえる。2 電車の上に付いているパンタグラフ。3 3路線ある簡易型の運転シミュレーター（未就学児から可）。4 本物と同じ電車の運転台が操作できるのは小学生から。

DATA

地下鉄博物館
ちかてつはくぶつかん

- 東京都江戸川区東葛西6-3-1
- 03-3878-5011
- 10：00〜17：00（入館は16：30まで）
  平均観覧時間：1時間30分
- 月曜（祝日・振替休日の場合は開館、翌日休館）
- 大人220円、4歳〜中学生100円
- 未就学児以上（一部、小学生以上）
- 東京メトロ東西線葛西駅下車葛西駅高架下
- イベントは不定期開催（詳細は公式HPを要確認）
- www.chikahaku.jp

地下鉄博物館からの

挑《ちょう》戦《せん》状《じょう》

Q.1

世界《せかい》で最初《さいしょ》の地下鉄《ちかてつ》ができたのはいつ？

ヒントはここ！

地下鉄《ちかてつ》の歴史《れきし》コーナー「世界初《せかいはつ》の地下鉄《ちかてつ》内《ない》を走《はし》った蒸気機関車《じょうききかんしゃ》と客車《きゃくしゃ》（模型《もけい》）」

Q.2

電車《でんしゃ》の上《うえ》に付《つ》いている「パンタグラフ」は何《なん》のために付《つ》いているの？

ヒントはここ！

地下鉄車両《ちかてつしゃりょう》のしくみコーナー「パンタグラフ」

技術　インフラ

NTT技術史料館

専門的でちょっと難しめの話も多いため、子どもも興味を持てるようワークブックや体験展示、科学教室などを用意。

スマホやネットにも意外がこんなに！

電報や電話からインターネットやスマートフォンまで、人と人をつなぎ情報を行き来させる通信は人々の生活になくてはならないもの。その歴史や技術について展示する史料館には、来館者から「思っていたのと違う！」という声が多く寄せられるという。

手動交換機や古い電話機などの展示では、今でも使えることに感動したり、ダイヤル式電話のかけかたを知らない子どもに年長者が驚いたり。毎日の生活になくてはならないネットやスマホ、光テレビなどのテレビ放送がどうやってつながっているかを視覚化した展示も興味深い。

NTT技術史料館からの

挑《ちょう》戦《せん》状《じょう》

Q.1

スマホで電話《でんわ》をするとき、電波《でんぱ》はどこを通《とお》っているの？

ヒントはここ！

1階《かい》ロビー「電気通信《でんきつうしん》のつながるしくみジオラマ」

Q.2

最初《さいしょ》の頃《ころ》の電話《でんわ》では、一度別《いちどべつ》の人《ひと》と話《はな》してから電話《でんわ》をかけていたってホント？

ヒントはここ！

地下《ちか》1階《かい》・電信電話《でんしんでんわ》ことはじめから「歴史《れきし》の壁画《へきが》」「デルビル磁石式電話機《じしゃくしきでんわき》」「手動交換機《しゅどうこうかんき》」／1階《かい》ロビー

DATA

NTT技術史料館

えぬてぃーてぃーぎじゅつしりょうかん

- 東京都武蔵野市緑町3-9-11
  NTT武蔵野研究開発センタ内
- 0422-59-3311
- 一般公開　木・金曜13：00〜17：00（予約不要）
  団体　月〜金曜10：00〜17：00（要予約）
  平均観覧時間：1時間
- 休 土・日曜、祝日
- ¥ 無料
- 小学生〜中学生
- JR三鷹駅（北口）から関東バス「武蔵野市役所前」下車徒歩5分・「NTT武蔵野研究開発センタ」下車すぐ
  西武新宿線東伏見駅（南口）から徒歩15分
- イベントは予約不要
- https://hct.lab.gvm-jp.groupis-ex.ntt/

1

2

1 通信がつながるしくみを目で見られるジオラマ。2 吹き抜けの1階と3階のパラボラアンテナで会話ができる「ささやき通信」。

おすすめポイント

ミュージアムグッズ

アンケートに答えるともらえるペーパークラフトは、大人も夢中にさせる精巧さ。時期などにより変わるので集めたくなる。

インフラ

東京ガス ガスミュージアム

世界各国から集められたガス灯が並ぶ。「くらし館」（上）にはガスで冷やす冷蔵庫など、ちょっと不思議な機器も。

赤レンガの洋館で今昔の暮らしを想う

日本ではじめてガス灯がともったのは明治初期。以来、人々の暮らしとともにあるガスについて、歴史や技術、暮らしとの関わりを紹介している。

2棟の洋館に囲まれたガスライトガーデンには、文明開化のシンボルだった横浜のガス灯をはじめ、世界で使われていたガス灯が点灯している。

それらの歴史がじっくり見られる「ガス灯館」。「くらし館」にはガスの歴史や、ガス事業を牽引した渋沢栄一のギャラリーも。昭和の台所を復元したコーナーもあり、食文化への学びや体験を提供する「食文化ミュージアム」にも認定されている。

1 便利で快適な暮らしを支えるガスに感謝の気持ちがわいてくる。2 鹿鳴館のガス灯や美しい「花ガス」もある「ガス灯館」では、ガス灯を灯す実演を毎日実施。解説にも工夫が凝らされている。

DATA

東京ガス ガスミュージアム
とうきょうがす がすみゅーじあむ

- 東京都小平市大沼町4-31-25
- 042-342-1715
- 10：00～17：00
  平均観覧時間：1時間
- 月曜（祝日の場合は開館、翌日休館）
- 無料
- どなたでも
- 新青梅街道「滝山南交差点」西側
- 西武バス「ガスミュージアム入口」
  下車徒歩3分
- 一部のイベントは予約が必要
- https://www.gasmuseum.jp/

東京ガス ガスミュージアムからの

挑《ちょう》戦《せん》状《じょう》

Q.1

日本《にほん》でガスが使《つか》われはじめた頃《ころ》、ガスは何《なに》に使《つか》われていた？

A：あかり　B：お湯《ゆ》をわかす

ヒントはここ！

ガス灯館《とうかん》1階《かい》「ガス事業《じぎょう》のはじまり」

Q.2

日本《にほん》で最初《さいしょ》に発明《はつめい》されたガス機器《きき》は何《なに》をするためのもの？

A：パンを焼《や》く　B：ごはんを炊《た》く

ヒントはここ！

くらし館《かん》1階《かい》「ガスとくらしのヒストリー」

科学総合

国立極地研究所
南極・北極科学館

南極で研究用に撮影したオーロラの映像を全天ドームスクリーンに上映。普段は見られない地球の極地を味わおう。

南極の氷に触れて地球の未来を考える

南極・北極の観測や研究で使用されたものが展示されている「国立極地研究所 南極・北極科学館」は、貴重な資料の宝庫。特に、南極観測隊員が観測船「しらせ」に乗せて持ち帰る「南極の氷」を見て、触れる体験は必見だ。

南極点旅行のため日本隊が開発した「ＫＤ６０４型大型雪上車」の実車も展示されていて、南極地域観測隊の活動の歴史が感じられる。研究者が極地で撮影した美しいオーロラがフルカラーで見られる「ＴＡＣＨＩーＨＩーオーロラシアター」を見たあとは、「オーロラのしくみを紹介」コーナーも楽しんで。

1 極寒の地に住む生き物たちをはく製とともに紹介。2 KD604 型大型雪上車。日本の第 9 次南極地域観測隊が昭和基地から極点まで往復 5200km、5 カ月にわたって旅行した際の実物の車両を展示。

DATA

国立極地研究所 南極・北極科学館

こくりつきょくちけんきゅうしょ
なんきょく・ほっきょくかがくかん

- 東京都立川市緑町10-3
- 042-512-0910
- 10：00～17：00（入館は16：30まで）
  平均観覧時間：1時間
- 休 日・月曜、第3火曜、祝日、夏季休業
- ¥ 無料
- どなたでも
- JR中央線立川駅（北口）から徒歩25分、多摩モノレール高松駅から徒歩10分、立川バス「立川学術プラザ」下車徒歩1分
- https://www.nipr.ac.jp/science-museum/

国立極地研究所
南極・北極科学館からの
挑《ちょう》戦《せん》状《じょう》

Q.1

南極《なんきょく》ではどうして隕石《いんせき》がたくさん取《と》れるの？

ヒントはここ！
岩石《がんせき》・隕石《いんせき》～太陽系《たいようけい》 46 億年《おくねん》の歴史《れきし》を探《さぐ》る～「隕石《いんせき》」

Q.2

南極《なんきょく》の氷《こおり》の中《なか》にある空気《くうき》の泡《あわ》はどうやってできるの？

ヒントはここ！
展示室入《てんじしつい》り口《ぐち》付近《ふきん》「南極《なんきょく》の氷《こおり》」

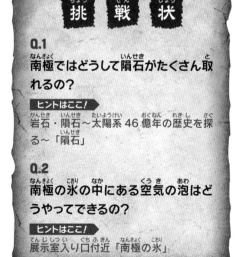

科学総合

コニカミノルタ サイエンスドーム（八王子市こども科学館）

楽しく遊びながら科学する心を育てる

触ったり動かしたりしながら科学のしくみを体験できる科学実験装置やシミュレーション装置が充実した「コニカミノルタ　サイエンスドーム」。

1階「遊びカガク」には17種類の体験展示があり、一番人気は数々のコースをボールが駆けめぐる「ボールコースター」。体を動かしながら幼児から楽しめる。また「くるくるコプター」は台に乗ってハンドルを回すと上部のプロペラが回り、自分も台ごと反対方向へ回ってしまう不思議な装置。遠くまで音を伝える「伝声管」など遊び感覚で楽しめるものばかり。

天体望遠鏡や万華鏡などの工

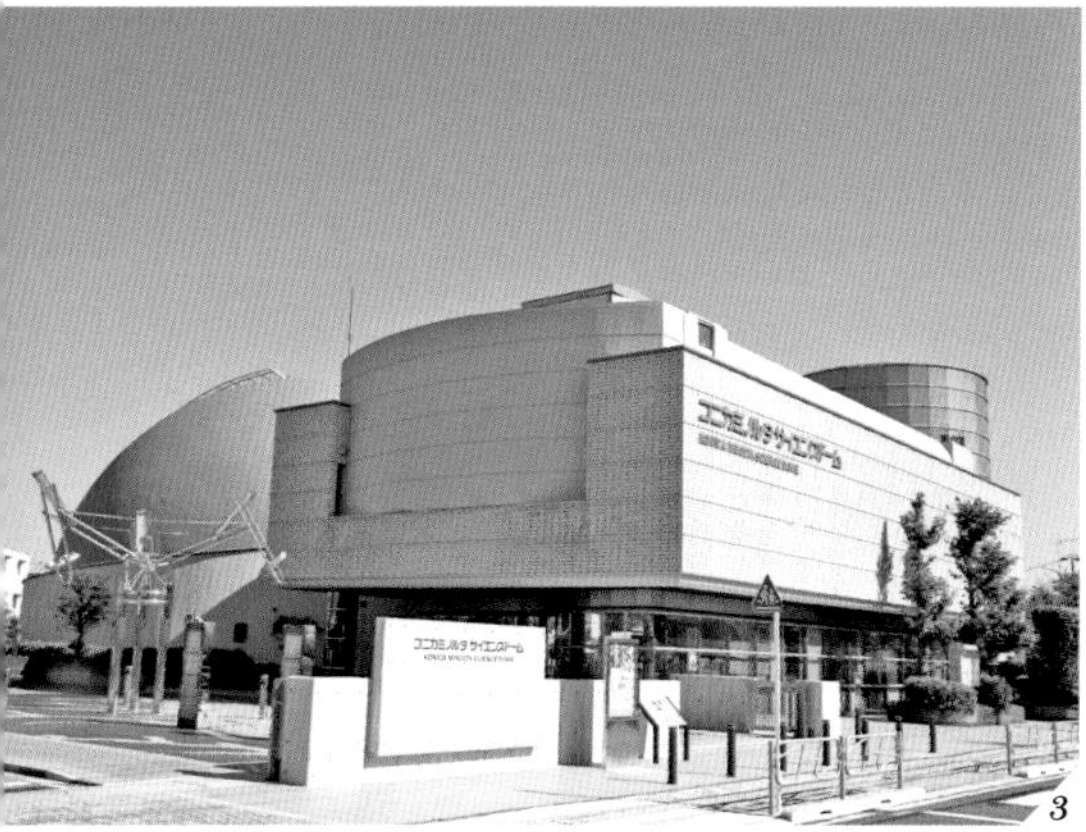

1 小さい子どもから小学生まで、アトラクション気分で楽しめる。2 地球の自転と台風の軌道の関係がわかる「コリオリの床」。3 館内にレストランなどはないが、飲食スペースはあるのでランチを持って行くのがおすすめ。

1階展示室「夢ひろば」「遊びカガク」には動かしたり聞いたり見たり、五感で楽しめる体験展示がたくさん。

作教室も休日や学校長期休暇に開催。紙コップや割りばし、段ボールなど身近なものを使った無料の工作も。そのほか科学実験教室や化石観察会など趣向をこらしたイベントが盛りだくさん。予約制や抽選制、先着順のものが多いので、事前に公式サイトをチェックしておこう。

3チームに分かれて国際宇宙ステーションのミッションに挑戦！ 宇宙での生活や宇宙飛行士の役割を実感できそう。

2階展示室のメインは「ISSミッションに挑戦！」。国際宇宙ステーションの10分の1の模型の前で①ロケットの打ち上げ＋ISSで補給船をキャッチ②宇宙飛行士の1日の仕事③地球への帰還という3つのミッション（時期によって変更あり）に挑戦できる。

小惑星探査機「はやぶさ」のシミュレーションやモニターに宇宙服姿の自分が映し出される「宇宙飛行士に変身！」なども夢中になって体験できそうだ。

ほかにも、子どもから大人まで幅広く楽しめるプラネタリウムでは不定期で天文講座や星空コンサートなども開催。さらに天体望遠鏡で月や惑星などを観察する星空観望会も年に数回実施される。

展示物からイベントまで見どころ満載で、何度訪れても楽しい発見があるだろう。

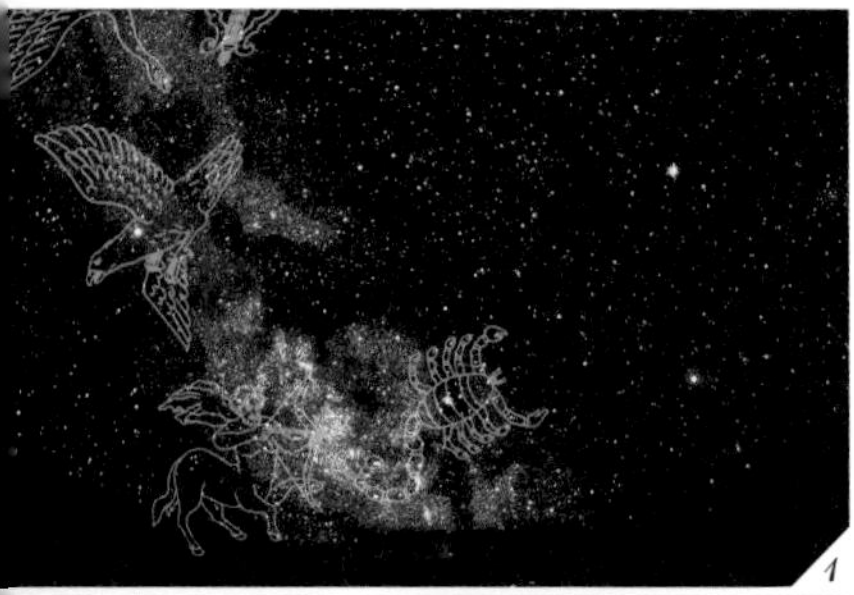

1

2

1 プラネタリウムの投影では「今夜の星空解説」も行う。2 星空観望会では天体望遠鏡で季節の星を観察。

コニカミノルタ サイエンスドーム（八王子市こども科学館）からの

挑《ちょう》戦《せん》状《じょう》

Q.1

約《やく》230万年前《まんねんまえ》に八王子《はちおうじ》にいたゾウの種類《しゅるい》は？

A：ナウマンゾウ　B：マンモスゾウ

C：ステゴドンゾウ

ヒントはここ！

2階《かい》・八王子《はちおうじ》コーナー「ハチオウジゾウ化石《かせき》」

Q.2

国際宇宙《こくさいうちゅう》ステーションは地上《ちじょう》からどれくらいの高《たか》さで地球《ちきゅう》を回《まわ》っている？

ヒントはここ！

2階《かい》・地球《ちきゅう》・宇宙《うちゅう》・未来《みらい》コーナー「国際宇宙《こくさいうちゅう》ステーションのミッションに挑戦《ちょうせん》」

Q.3

地球上《ちきゅうじょう》を動《うご》く物体《ぶったい》は、地球《ちきゅう》の北半球《きたはんきゅう》にいる人《ひと》から見《み》ると、どのように見《み》えるでしょうか？

A：まっすぐ進《すす》む　B：右《みぎ》に曲《ま》がっていく

C：左《ひだり》へ曲《ま》がっていく

ヒントはここ！

1階《かい》・遊《あそ》びカガクのコーナー「コリオリの床《ゆか》」

DATA

コニカミノルタ サイエンスドーム（八王子市こども科学館）

こにかみのるた さいえんすどーむ（はちおうじしこどもかがくかん）

- 東京都八王子市大横町9-13
- 042-624-3311
- 12：00～17：00（土曜、祝休日、学校休業の春・夏・冬休み期間は10：00～）
  平均観覧時間：2時間
- 月曜（祝日の場合は開館、代わりの休館日については公式HPを要確認）、臨時休館日
- 大人200円、4歳～中学生100円（プラネタリウムは別途料金）
- 未就学児～中学生
- 中央道「八王子IC」から10分
- 西東京バス「サイエンスドーム」下車徒歩2分
- 一部のイベントは事前予約が必要
- https://www.city.hachioji.tokyo.jp/shisetsu/003/p011705.html

プラネタリウムで星の映像とともにいろんな楽器の生演奏を行う「星空コンサート」。幻想的な空間で音楽を堪能できる。

食品

マヨテラス

450gのキユーピーマヨネーズの50万倍の大きさになっている「マヨネーズドーム」。木のぬくもりが感じられる。

案内人に導かれてマヨネーズツアーへ

マヨネーズにまつわるさまざまな情報を体感しながら学べる見学施設。コミュニケーターと呼ばれる案内人が説明したり、クイズを出したりしながら館内をまわってくれる。

マヨネーズの歴史やおなじみのメニューが壁一面に広がる「キユーピーギャラリー」や、実際のマヨネーズの50万倍の大きさだという「マヨネーズドーム」でマヨネーズの「なるほど！」を学んだら、製造工程を映像で紹介する「ファクトリーウォーク」へ。工場見学で人気のある卵を割る機械の映像は圧巻だ。「キユーピーキッチン」での試食やお土産もお楽しみに。

マヨテラスからの

挑《ちょう》戦《せん》状《じょう》

Q.1

マヨネーズが生《う》まれた国《くに》はどこ?

ヒントはここ!

キユーピーギャラリー

Q.2

キユーピーマヨネーズの主《おも》な原材《げんざい》料《りょう》3つは、卵黄《らんおう》と植物《しょくぶつ》油《ゆ》ともう1つは何《なに》でしょう?

ヒントはここ!

マヨネーズドーム

DATA

マヨテラス

まよてらす

東京都調布市仙川町2-5-7
仙川キユーポート

03-5384-7770

10：00～17：00
平均観覧時間：1時間

土・日曜、祝日、臨時休館日

無料（要予約）

小学生

京王線仙川駅から徒歩7分

イベントはweb予約が必要

https://www.kewpie.co.jp/entertainment/mayoterrace/

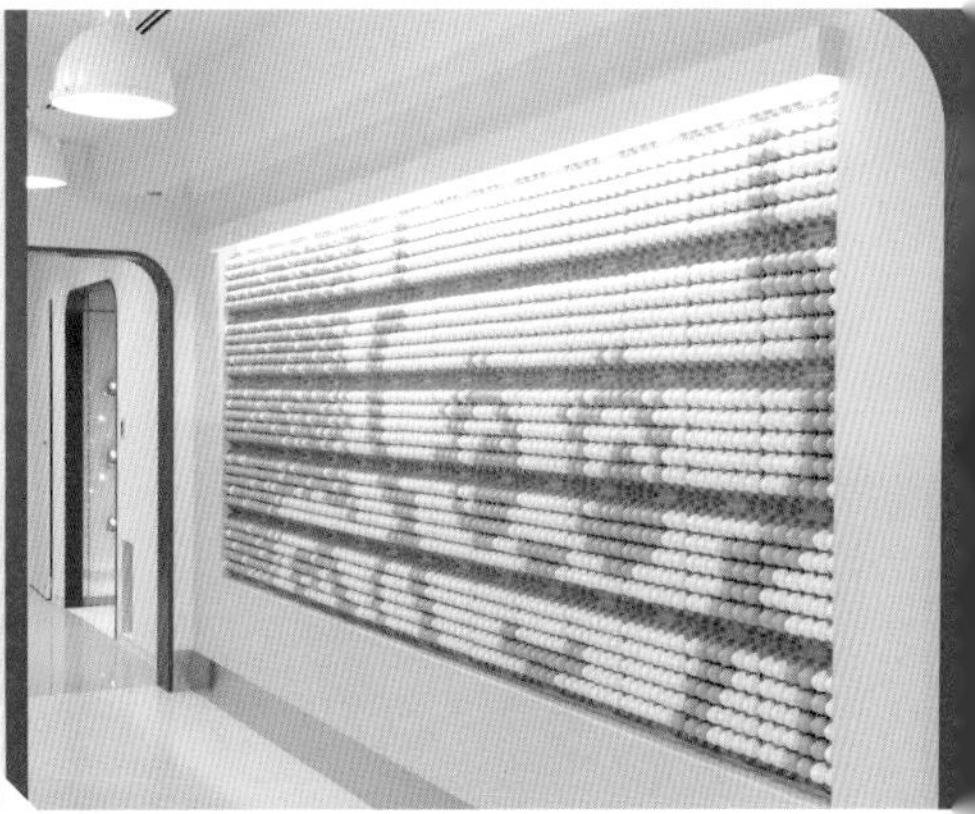

1

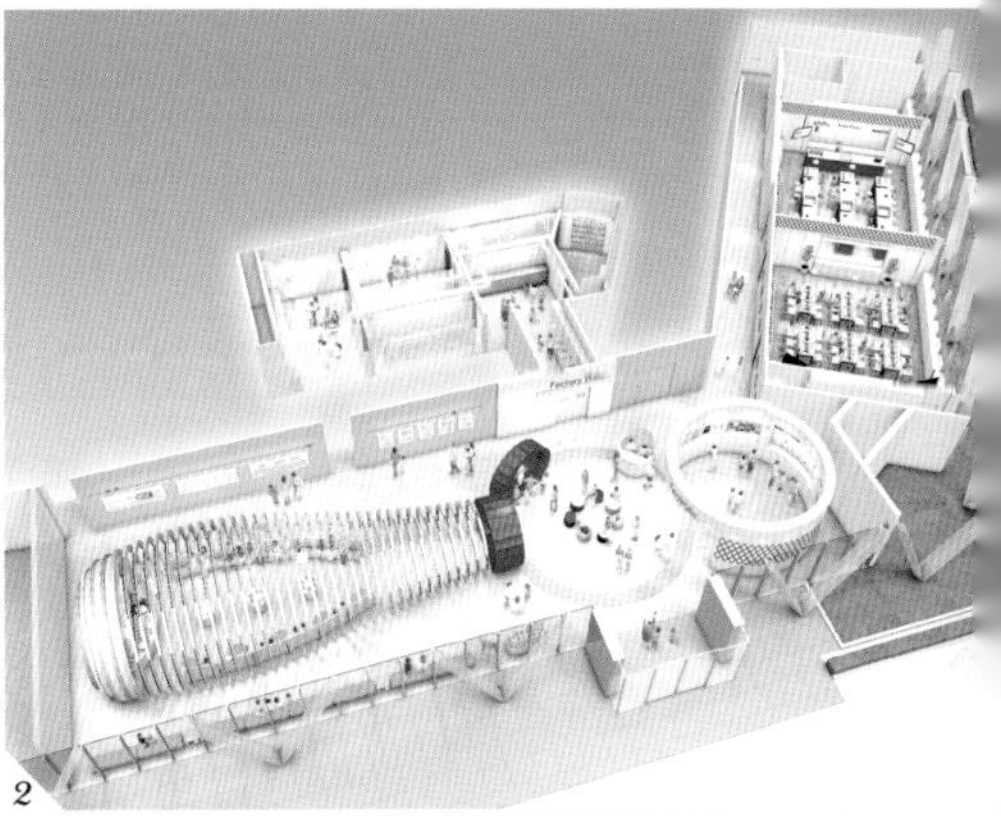

2

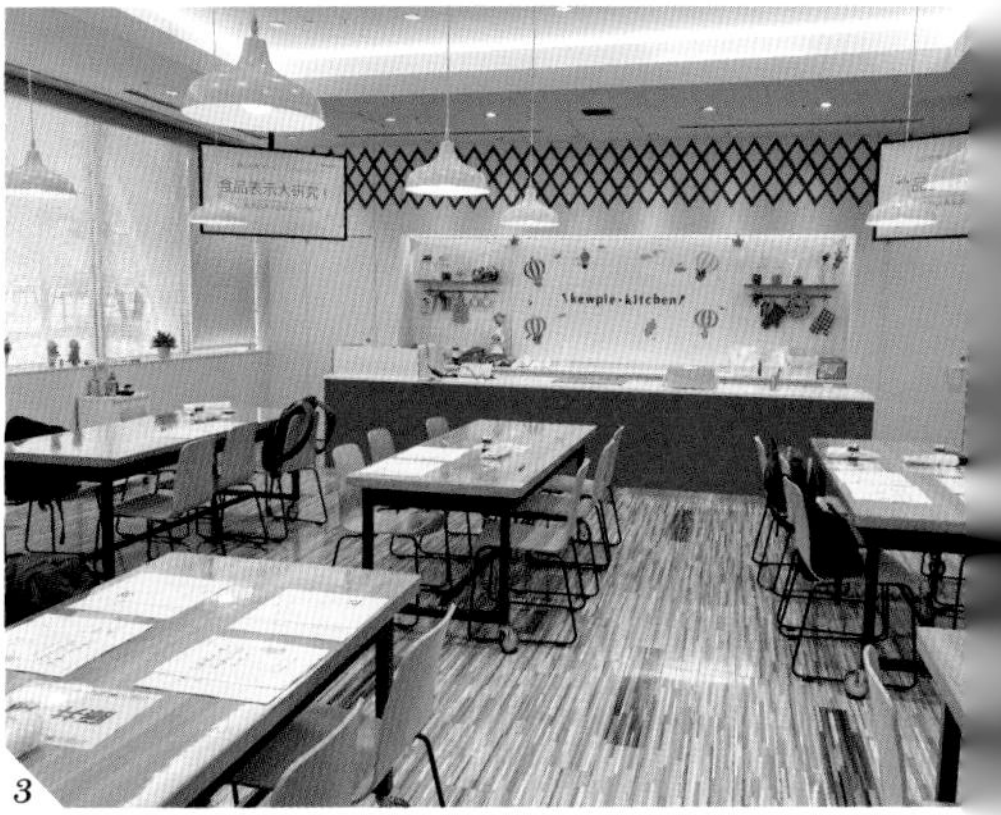

3

1 マヨネーズができあがるまでの工程を紹介する「ファクトリーウォーク」。この絵はよく見ると卵で描かれている。2「マヨネーズドーム」を上から見ると、マヨネーズの容器の形に。3 夏休みに開催された食品表示の見方を学ぶイベント。

インフラ

小平市ふれあい下水道館

直径 4.5m、地下 25m の、現在使われている下水道管内部は迫力満点。湿気や音、ニオイなど五感に訴えてくる。

撮影：白汚 零氏

日本でここだけ!?　下水道に潜入できる

小平市の下水道普及率100%達成を記念して建てられた施設。見逃せないのは地下5階「ふれあい体験室」。実際に使われている地下25メートルの下水道管の中に入れるのだ。ここでしかできないリアル下水道体験は、自分の生活に直結するものとして、記憶に強く残るはず。

マジックビジョンを用いた下水の歴史を学ぶ展示や下水処理室のジオラマセットなど、子どもにも興味深く、親子で学べる工夫がいっぱい。下水をきれいにする微生物の観察もできる。不定期開催の「トイレグッズコレクション展」は、ユニークな便器などが集まる人気展だとか。

水道、お風呂、トイレなど、ジオラマでイメージしやすく水や下水道の大切さを感じさせる。

DATA

小平市ふれあい下水道館

こだいらしふれあいげすいどうかん

- 東京都小平市上水本町1-25-31
- 042-326-7411
- 10：00〜16：00
平均観覧時間：1時間
- 休 月曜（祝日・休日の場合は開館、翌日休館）
- ¥ 無料
- 小学生以上
- 西武国分寺線鷹の台駅から徒歩7分
- 一部のイベントは事前予約が必要
- https://www.city.kodaira.tokyo.jp/kurashi/070/070022.html

小平市ふれあい下水道館からの挑《ちょう》戦《せん》状《じょう》

Q.1

下水《げすい》の水《みず》は、どうやってきれいにしているの?

ヒントはここ!

地下《ちか》2階《かい》「くらしと下水道《げすいどう》」

Q.2

下水道管《げすいどうかん》の中《なか》って、暑《あつ》い? 涼《すず》しい?

ヒントはここ!

地下《ちか》5階《かい》「ふれあい体験室《たいけんしつ》」

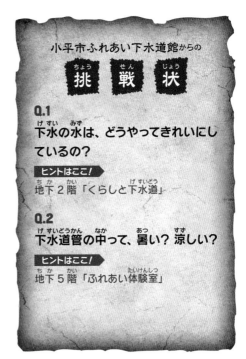

食品

コカ・コーラボトラーズジャパン 多摩工場

同社の工場見学で唯一「ビンの製造ライン」が見学できる多摩工場。身近な製品ができあがる様子が見られる。

コカ・コーラができるまでを見学

国内6カ所に工場見学施設があるが、その中でも多摩工場はビンの製造ラインが見学できる唯一の施設だ。「ヒストリーエリア」では、日本のコカ・コーラの歴史やボトラー社の変遷を13のテーマごとに紹介している。日本で第1号のボトラー社が誕生した1956年頃の「コカ・コーラ」のレギュラー瓶の展示では、珍しい飲料を目にした人たちの感想を知ることができ新鮮だ。

タブレットを使ったクイズに挑戦できる「コカ・コーラ検定」は、全問正解すると携帯電話の待ち受け画面をゲットできるのでぜひトライしてみて。

1 2

1 製品を運ぶルートカーをモチーフにした展示。パッケージの読み方などの解説もある。
2 製造ラインの見学では、おなじみの「コカ・コーラレギュラー瓶」が一気に流れてくる様子は圧巻。

DATA

コカ・コーラ ボトラーズジャパン 多摩工場

こか・こーら ぼとらーずじゃぱんたまこうじょう

- 東京都東久留米市野火止1-2-9
- 042-471-0463
- 9：30〜17：30（工場見学は10：00〜と15：00〜の1日2回、予約制）平均観覧時間：約1時間
- 休 土・日曜、工場休業日
- ¥ 無料（要web予約）
- 小学生〜中学生
- 西武バス「東久留米総合高校」・「八幡町1丁目」下車すぐ
- https://www.ccbji.co.jp/plant/tama.php

コカ・コーラ ボトラーズジャパン
多摩工場からの

挑《ちょう》戦《せん》状《じょう》

Q.1

コカ・コーラの賞味期限《しょうみきげん》は製造《せいぞう》からどれくらい?

ヒントはここ!

クイズコーナー

Q.2

世界中《せかいじゅう》のコカ・コーラに使《つか》われる水《みず》は同《おな》じ?

ヒントはここ!

クイズコーナー

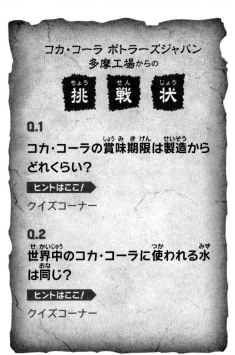

インフラ

奥多摩 水と緑のふれあい館

子どもも大人も「体験が楽しかった」という感想を残す「緑のダムの秘密」。知る機会の少ない水道水源林の秘密に迫る。

水と緑の故郷へ 癒やしあふれる施設

緑豊かな小河内ダムのほとりに建つ施設は、東京近代水道１００周年と小河内ダム竣工40周年の記念事業として建設された。奥多摩の豊かな自然やダムのしくみ、水の大切さなどを紹介し、水源地と水を使う人々の交流を図ることを基本コンセプトとしている。

奥多摩の歴史や民俗についての紹介も充実していることから「貴重な資料に触れられた」と喜ぶ来館者も多い。体験型や3Dシアターなど多様な展示方法で、生活に不可欠な水が生まれる場所や、家の水道に届くまでの経緯、ダムの重要性などが、自分ごととして心に響く。

奥多摩
水と緑のふれあい館からの

挑《ちょう》戦《せん》状《じょう》

Q.1

水《みず》をたくわえている森林《しんりん》を何《なん》という?

ヒントはここ!

水《みず》が生《う》まれる～緑《みどり》のダムの秘密《ひみつ》～

Q.2

水《みず》が生《う》まれる森《もり》を元気《げんき》に保《たも》つためにしていることは?

ヒントはここ!

水《みず》が輝《かがや》く～奥多摩《おくたま》3Dシアター～

1

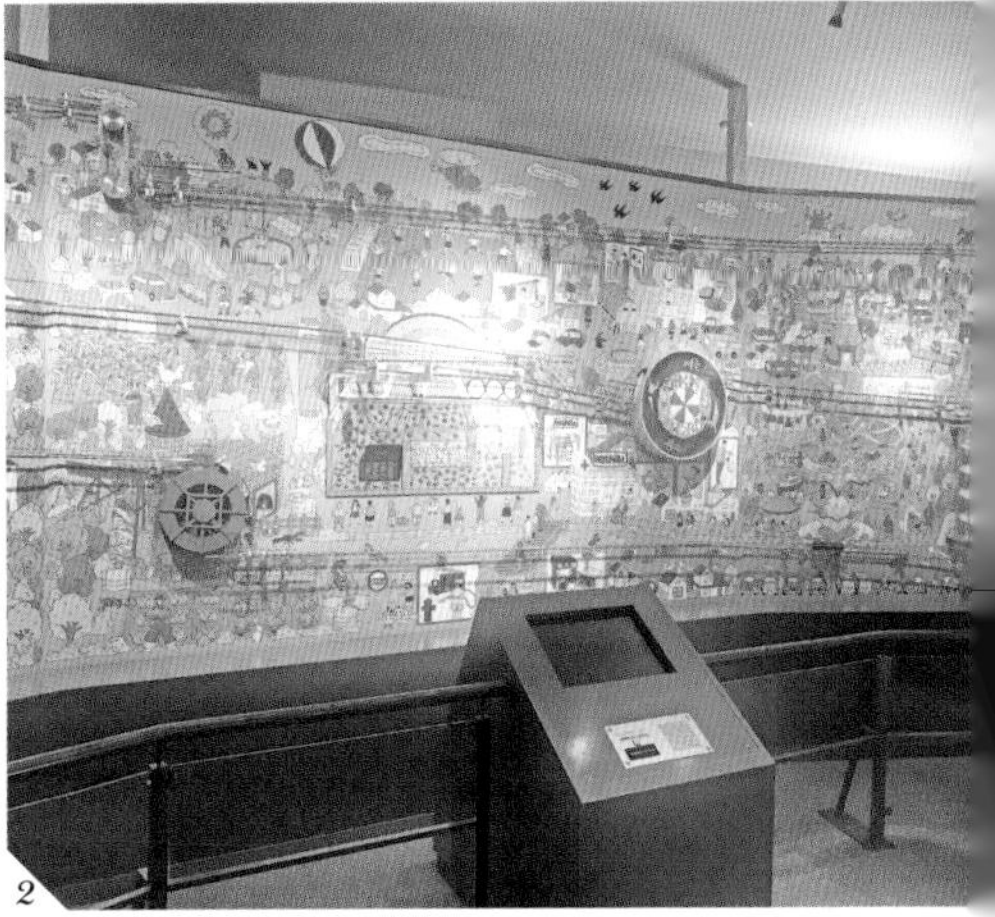

2

1 小河内ダムのしくみをジオラマとスクリーン映像で解説してくれる「ダムの不思議シアター」。2 水源地から家で使われ循環するまでを、ボールの動きと映像で示す「はるかなる水の旅」。

DATA

奥多摩 水と緑のふれあい館

おくたま みずとみどりのふれあいかん

- 東京都西多摩郡奥多摩町原5
- 0428-86-2731
- 9：30～17：00
  平均観覧時間：45分
- 水曜（祝日の場合は開館、翌日休館）
- 無料
- どなたでも
- 西東京バス「奥多摩湖」下車すぐ
- https://www.waterworks.metro.tokyo.lg.jp/kouhou/pr/okutama/

おすすめポイント

お食事スポット

目の前にダムが広がるパノラマレストラン「カタクリの花」。小河内ダムの特徴を細部まで表現したダムカレーが大人気。

PART 5

東京近郊

神奈川県

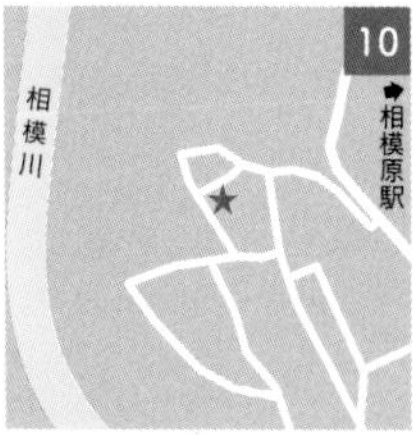

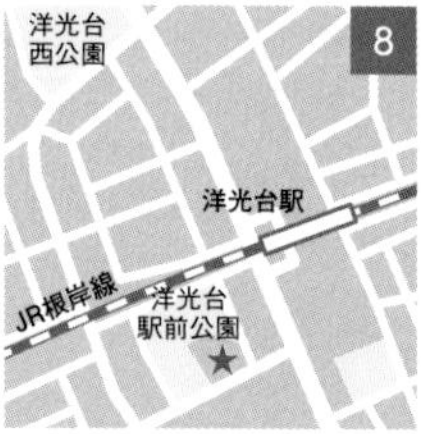

茨城県

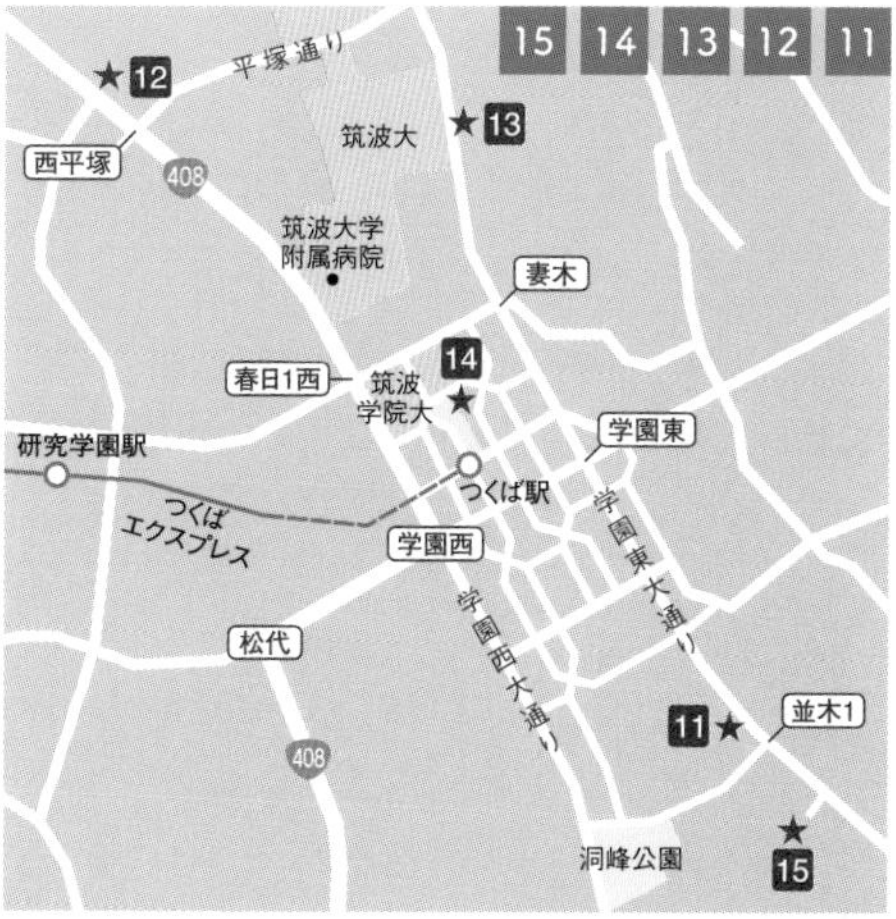

15
14
13
12
11
平塚通り
西平塚
408
筑波大
筑波大学
附属病院
妻木
春日1西
筑波
学院大
学園東
研究学園駅
つくば駅
つくば
エクスプレス
学園西
学園東大通り
学園西大通り
松代
408
並木1
洞峰公園

16
七郷小
七郷
郵便局
自然発見
工房
古代の
広場
愛宕駅

千葉県

20
芝山鉄道
芝山千代田駅
成田空港
ひこうきの丘

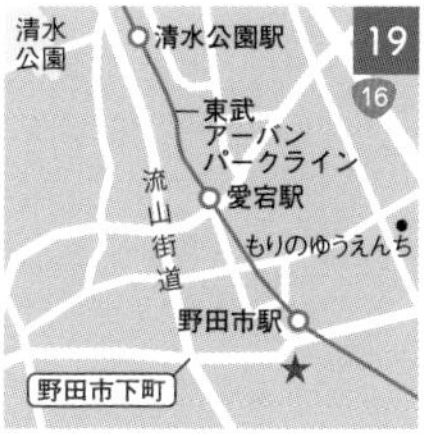

19
清水
公園
清水公園駅
16
東武
アーバン
パークライン
流山街道
愛宕駅
もりのゆうえんち
野田市駅
野田市下町

18
京成八幡駅
京成本線
千葉街道
鬼越駅
本八幡駅
JR総武線
ニッケコルトン
プラザ
京成
中山駅
下総中山駅
京葉市川IC
京葉道路

17
佐倉街道
千葉市
美術館
葭川公園駅
東金街道
千葉中央駅
タウン
ライナー
京成千原線
千葉市立
郷土博物館

24
川口市立高
オートレース
川口オート
南鳩ヶ谷駅
西川口駅
JR京浜東北線
アリオ
川口
川口
市役所
埼玉高速鉄道
川口駅

23
コクーン
シティ
北袋町
さいたま
新都心駅
大宮警察署
JR京浜東北線・
宇都宮線・高崎線

22
北本駅
東中
山中
中丸東小
本宿
JR高崎線
17

21
七光台駅
流山街道
16
東武
アーバン
パークライン
清水公園
キャンプ場

埼玉県

生物　地学

神奈川県立 生命の星・地球博物館

「生命を考える」のエリアに高さ 12 m の天井を突き抜けたように高くそびえる板根(コームパッシア・エクセルサの幹)。

地球や生命の歴史をたどる旅へ出かけよう

46億年にわたる地球の歴史と生命の多様性を、時間の流れを追ってわかりやすく展示した自然系博物館。巨大な恐竜や隕石から豆粒ほどの昆虫まで、1万点にのぼる実物標本を見ることができる。

1階の展示室に入って最初に出会うのは、「マンドラビラ隕石」だ。表面にはたくさん穴があいてボコボコしていて、地球の材料である隕石の質感を実際に触れて感じることができる。まるでそこに隕石が落ちたかのように、床の鉄板がめくれているのも面白い。

進んでいくと、「アンモナイトの壁」が登場。ジュラ紀に生きていたアンモナイトやベレムナイト（イカの仲間）、貝などの化石が埋まった壁に実際に触れることができる。「水平（たいら）にたまった砂や泥、アンモナイトや貝殻が、こんなに急角度になるのはなんでだろう？」といったように、過去の地球を想像してみよう。

1 自然に囲まれた施設。体験型イベントは講座や観察会のほか「よろずスタジオ」というワークショップも月2〜3回程度開催（予約不要）。2 オーストラリアで発見された「マンドラビラ隕石」。表面のボコボコした質感を感じてみよう。3 縦3m、横8mもある「アンモナイトの壁」。実際の化石を触ることができる。

1

2

3

地球上の生き物が海から陸へと生活の場を広げていった進化の過程や多様な生き物の姿を標本やはく製から感じ取れる。

展示室の奥にある巨木は、コームパッシア・エクセルサという植物だ。根が空中にあり、幹は高さ12メートルの天井を突き抜けたように展示してある。土壌が非常に薄い熱帯雨林では、根の一部が板状に変化して幹を支え、そこから細く短い根が生えるようになるという不思議な現象が間近で見られる。

3階のジャンボブック展示室では、実物の標本をずらりと展示。「神奈川の両生・爬虫類」では、カエルの鳴き声クイズにチャレンジできる。

年に1回ずつ開催される特別展と企画展も見逃せない。学芸員の手づくりの展示のため、ほかでは見られないテーマを扱うことが多く、人気だという。また、身近に自然を感じることができる体験型イベント「よろずスタジオ」は事前予約不要なので、ぜひ参加してほしい。

1 ティラノサウルスの頭骨は迫力満点。2 「よろずスタジオ」はぬり絵やパズルなど小さい子どもでも楽しめる。

神奈川県立生命の星・地球博物館からの

挑《ちょう》戦《せん》状《じょう》

Q.1

ティラノサウルスの目《め》はどこについていたでしょう?

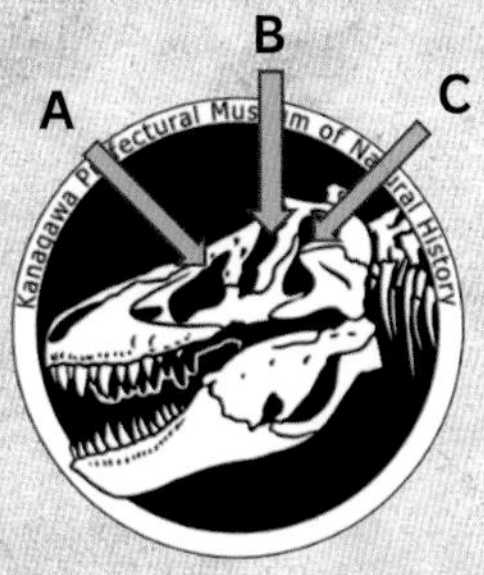

ヒントはここ!

1階《かい》生命《せいめい》展示室《てんじしつ》「恐竜《きょうりゅう》の時代《じだい》」

Q.2

マンドラビラ隕石《いんせき》は、とても重《おも》い隕石《いんせき》です。何《なに》でできているでしょう?

ヒントはここ!

1階《かい》地球《ちきゅう》展示室《てんじしつ》・地球誕生《ちきゅうたんじょう》「マンドラビラいん石《せき》」

Q.3

タラバガニとズワイガニの脚《あし》はそれぞれ何本《なんぼん》?

ヒントはここ!

3階《かい》ジャンボブック展示室《てんじしつ》

DATA

神奈川県立 生命の星・地球博物館

かながわけんりつ せいめいのほし・ちきゅうはくぶつかん

- 神奈川県小田原市入生田499
- 0465-21-1515
- 9:00〜16:30(入館は16:00まで)
平均観覧時間:1時間
- 月曜(祝日・振替休日の場合は開館、翌平日休館)、館内整備日、くん蒸期間、国民の祝日等の翌日
- 20歳以上65歳未満520円、15歳以上20歳未満・学生300円、高校生・65歳以上100円、中学生以下無料(特別展や講座は別途料金が必要な場合あり)
- どなたでも
- 国道1号線「地球博物館前」交差点脇
- 箱根登山鉄道入生田駅から徒歩3分
- 一部のイベントは事前申込が必要
- https://nh.kanagawa-museum.jp/

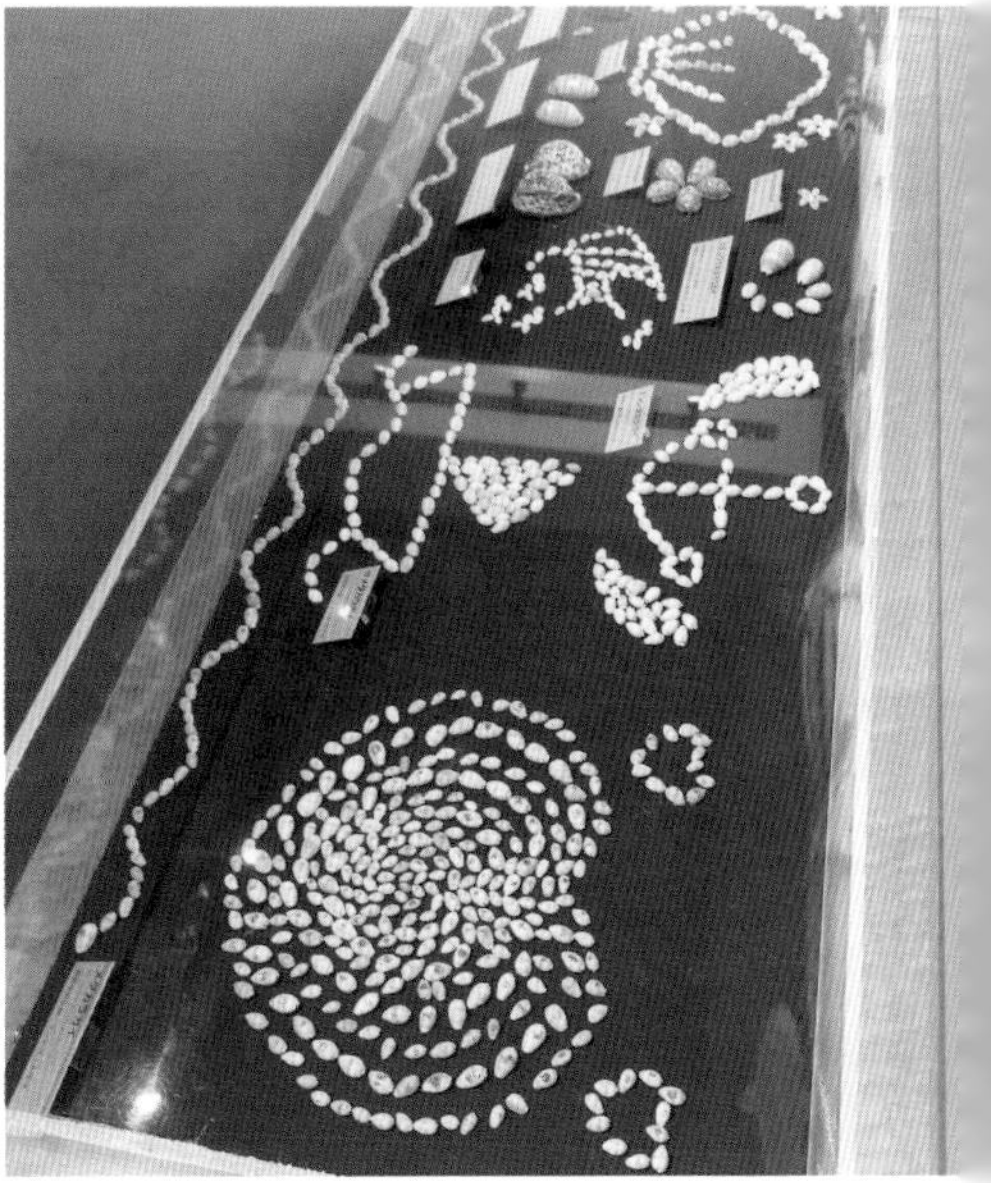

「相模湾に生きる」エリアの「巻貝」の展示は標本が丸や波など絵を描いているようなユニークな配置になっている。

かわさき エコ暮らし未来館

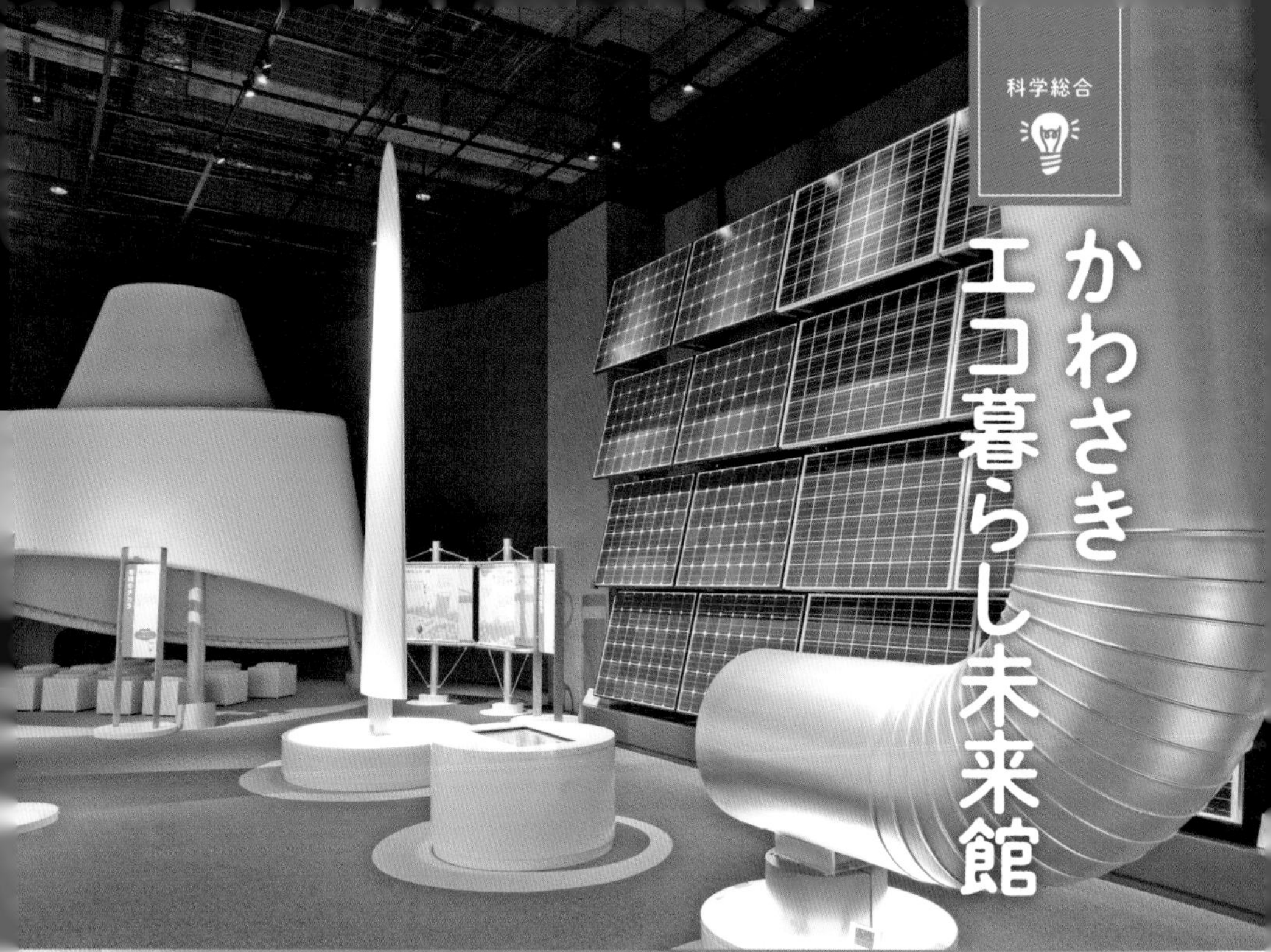

最先端の環境技術を紹介する「臨海部の環境力」（上）。オリジナルアバターがつくれるクイズも子どもたちに人気（下）。

見て聞いて触って！……環境って難しくない

無視していられないはずだけれど、どうしていいかわからない環境問題。まずは地球温暖化、再生可能エネルギー、資源循環の３つをメインテーマにした科学館に行ってみては？難しくなく、押しつけがましくなく、環境を守ることを楽しく考えるきっかけをくれるはず。

モノの再生について学べるコーナーや地球の危機を知るコーナー、家庭でのムダづかいを見つけるコーナー。自然の力を活用する再生可能エネルギーの実態。自分が出した資源ごみが、どんな流れでどんなものになるか。知ることで変えていけることがあるはずだ。

1「地球の危機」コーナーでは、地球をなでてきれいにしてあげよう。2 エコの技術や情報が集結する科学館。敷地内に併設するメガソーラーや資源ごみ処理施設の見学も可能。

DATA

かわさきエコ暮らし未来館
かわさきえこくらしみらいかん

- 神奈川県川崎市川崎区浮島町509-1 浮島処理センター内
- 044-223-8869
- 9：00〜16：30（入館は16：00まで） 平均観覧時間：1時間
- 休 月曜（祝日の場合は開館、翌日休館）
- ¥ 無料
- どなたでも
- 首都高速湾岸線「川崎浮島」から3分
- 川崎鶴見臨港バス「浮島バスターミナル」下車徒歩10分
- 定時ガイドツアーは先着順
- https://eco-miraikan.jp

かわさきエコ暮らし未来館からの 挑《ちょう》戦《せん》状《じょう》

Q.1

車《くるま》よりも地球《ちきゅう》にやさしい移動方法《いどうほうほう》は何《なに》？

ヒントはここ！

2階展示室《かいてんじしつ》・地球温暖化《ちきゅうおんだんか》チャレンジゾーン「地球《ちきゅう》の危機《きき》」

Q.2

トイレットペーパー1ロールは牛乳《ぎゅうにゅう》パック何枚分《なんまいぶん》でつくれる？

ヒントはここ！

2階展示室《かいてんじしつ》・資源循環《しげんじゅんかん》チャレンジゾーン「エコ探知機《たんちき》」

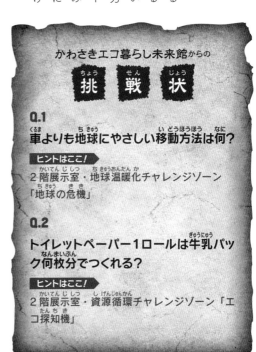

科学総合

東芝未来科学館

100万分の1ミリの「ナノ」の世界を体験できる「ナノライダー」や静電気体験など楽しみながら科学技術を学べる。

身近にある科学に大人も一緒に夢中！

過去、現在、未来にわたり人々の周りにある科学や技術を、展示や実演を通して体験しながら楽しく学ぶことができる「東芝未来科学館」。

光や空気、磁石など「身近にある不思議」をテーマに毎月プログラムが変わるサイエンスショーは、子どもはもちろん大人も楽しめると大人気だ。

ほかにも、電気を使わない江戸時代のからくり人形やリニアモーターカーなどで使用されている超電導の実演や、静電気の不思議を体験する科学実験など、子どもの知的好奇心をくすぐるさまざまな展示やイベントが行われている。

1 リニアモーターカーや医療用 MRI などに使われる超電導技術。2 定期的に行われるサイエンスショーは整理券が必要。実施日や開催時間などをチェックしておこう。

DATA

東芝未来科学館

とうしばみらいかがくかん

- 神奈川県川崎市幸区堀川町72-34 ラゾーナ川崎東芝ビル 2階
- 044-549-2200
- 9：30～17：00 平均観覧時間：1時間30分
- 休 日・月曜、祝日、特定休館日
- 無料(要web予約)
- 小学校低学年～
- JR川崎駅から徒歩3分 京浜急行京急川崎駅から徒歩8分
- 一部のイベントはweb予約が必要
- https://toshiba-mirai-kagakukan.jp/

東芝未来科学館からの

挑《ちょう》戦《せん》状《じょう》

Q.1

日本《にほん》ではじめてつくられた電気扇《でんきせん》風機《ぶうき》に付《つ》いていた、扇風機《せんぷうき》以外《いがい》の機能《きのう》とは？

ヒントはここ！

展示番号《てんじばんごう》2ヒストリーゾーン「日本初《にほんはつ》の扇風機《せんぷうき》」

Q.2

超電導《ちょうでんどう》で物体《ぶったい》が浮《う》くのはなぜでしょう？

ヒントはここ！

展示番号《てんじばんごう》9サイエンスゾーン「超電導実演《ちょうでんどうじつえん》」

 画像提供：東芝未来科学館

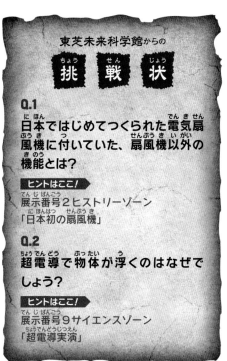

食品

味の素グループ うま味体験館

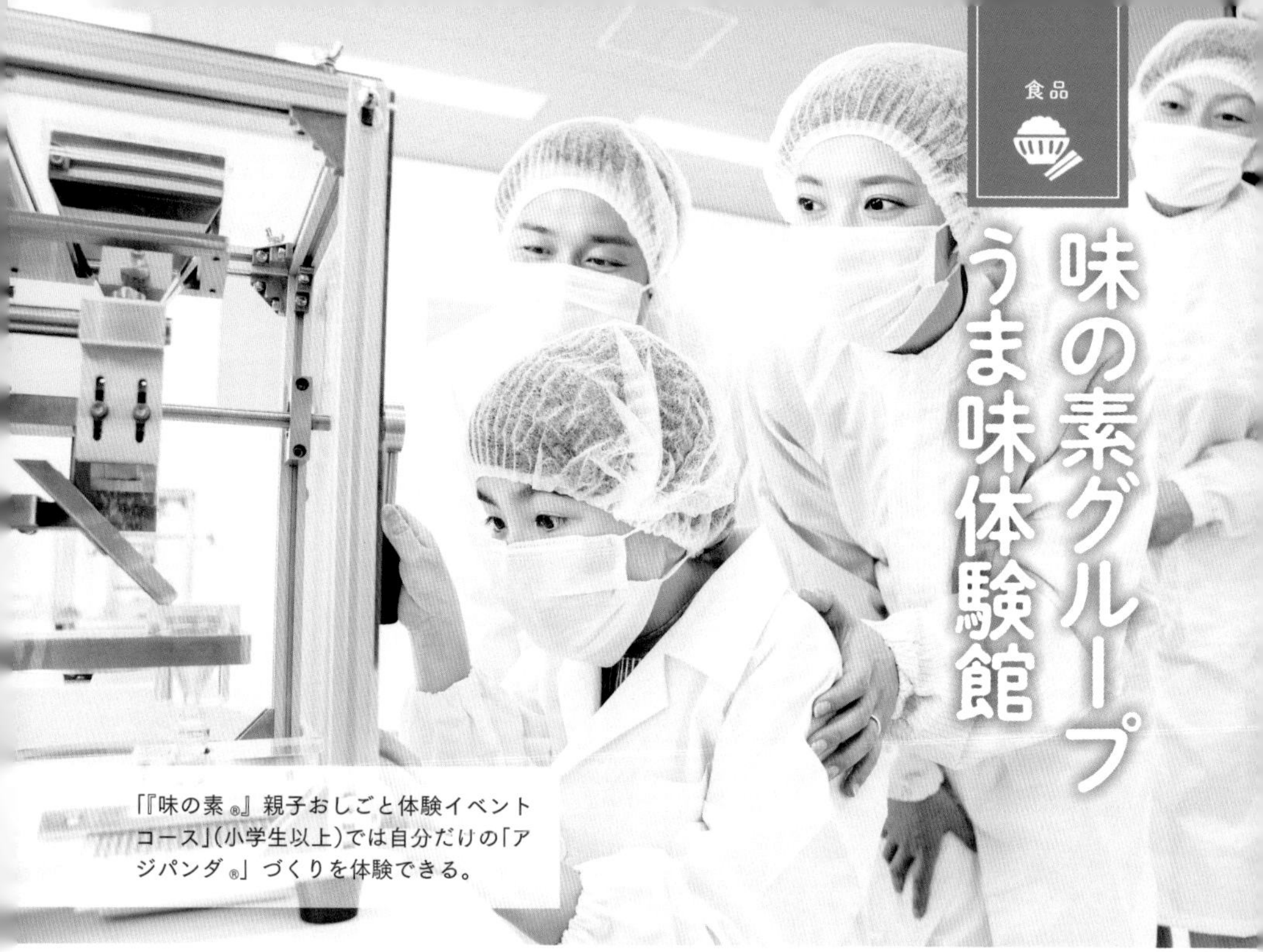

「『味の素®』親子おしごと体験イベントコース」（小学生以上）では自分だけの「アジパンダ®」づくりを体験できる。

「味の素®」ができるまでを親子で体験してみよう

味の素グループで一番歴史があり、多種多様な商品を製造している川崎工場では、商品ができるまでの過程を見ることができる人気の工場見学を複数コース（予約制）実施。

予約なしで入れる「味の素グループうま味体験館1階展示スペース」では、うま味を発見した日本人科学者たちやうま味が含まれる食材を紹介。うま味調味料「味の素®」が農作物からつくられていることや、しょうゆや味噌と同様に微生物の力を借りた発酵法でつくられていることなどがわかる。

また、「味の素®」の原料・製造工程をジオラマで紹介するコーナーでは、身近な商品が何を原料にして、どのようにつくられているかを紹介している。『味の素®』親子おしごと体験イベントコース」では、社員になりきって工場での仕事にチャレンジ。白衣に着替え、クリーンルーム内で「アジパンダ®」瓶の封入・計量・検査作業といった非日常体験ができる。

おすすめポイント

ミュージアムグッズ

「アジパンダ®」グッズが買える自動販売機が人気。ストラップやぬいぐるみ、ハンドタオルなどが購入できる。

1

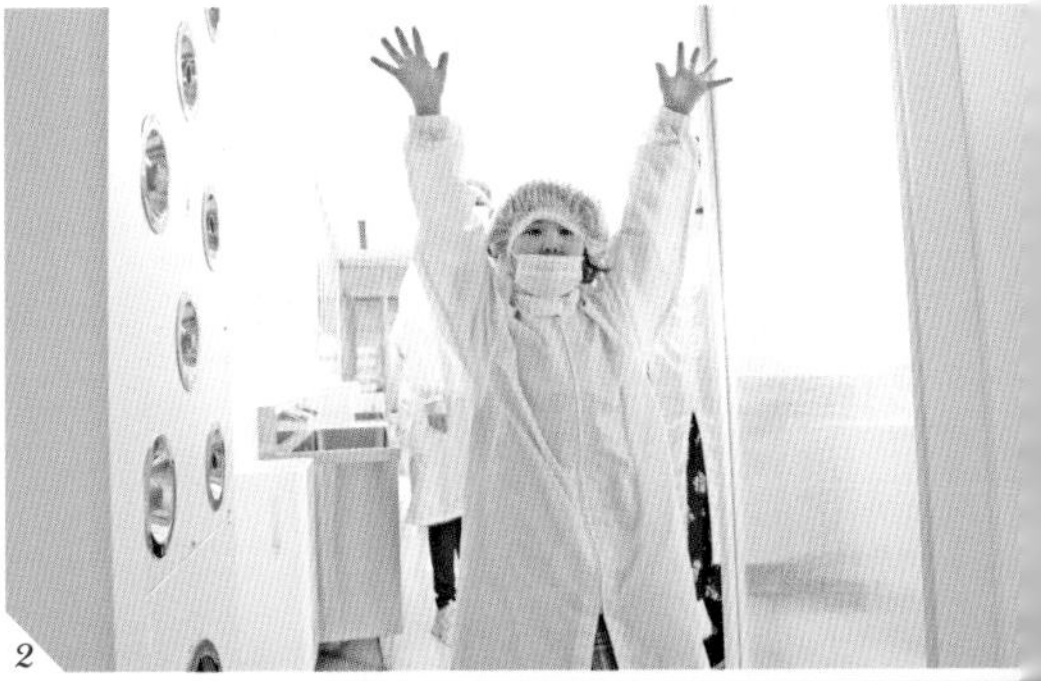
2

3

4

1 うま味あり／なしの味噌汁を飲み比べると…？ 2 エアシャワー体験で本格的なおしごと体験へ。 3 4 味の素グループうま味体験館ではうま味についてのジオラマや360度シアターが見られる。

DATA

味の素グループうま味体験館

あじのもとぐるーぷうまみたいけんかん

- 神奈川県川崎市川崎区鈴木町3-4
- 0120-003-476
- 9：00〜16：00
  平均観覧時間：1時間30分
- 休 月・日曜、工場の指定休日
- ¥ 無料
- 小学生
- 京急大師線鈴木町駅から徒歩1分
- 見学コースの参加には事前web予約が必要（味の素グループうま味体験館1階展示スペースは予約不要）
- https://www.ajinomoto.co.jp/kfb/kengaku/kawasaki/

味の素グループうま味体験館からの

挑《ちょう》戦《せん》状《じょう》

Q.1

うま味《み》調味料《ちょうみりょう》「味《あじ》の素《もと》®」をつくったあとに残《のこ》る液体《えきたい》は、何《なに》に使《つか》われる?

ヒントはここ!

味《あじ》の素《もと》グループうま味体験館《みたいけんかん》1階《かい》　ジオラマコーナー

Q.2

人《ひと》の身体《からだ》は何《なん》パーセントがアミノ酸《さん》?

ヒントはここ!

味《あじ》の素《もと》グループうま味体験館《みたいけんかん》1階《かい》　シアタールーム

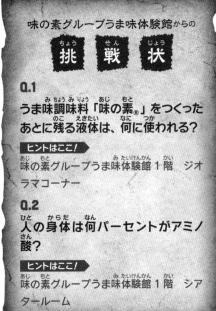

科学総合

かわさき宙《そら》と緑の科学館

最新の調査研究に基づいてつくられた8m の地層タワー。実際の川崎の地層を約５分の１に縮小再現している。

川崎の自然の魅力と都市部での天文体験

「かわさき宙と緑の科学館」は、「自然体験」「天文体験」「科学体験」の３つの感動体験をテーマにした自然系の博物館。川崎の自然について紹介している展示室は子どもが見やすいように低くつくられており、触って学べる展示も多くある。

昆虫好きにおすすめなのが、「樹液に集まる虫たち、夏の昆虫たち」など季節に応じた昆虫展示。１つの展示物をアクリルケース内に設置し、正面で夜に集まる虫、裏面で昼に集まる虫を展示するなど、普段はなかなか観察が難しい昆虫の裏側のつくりをじっくり観察できる。

「生田緑地ギャラリー」には、

1 2 丘陵に暮らす生き物を紹介する「丘陵の自然」。標本は透明なアクリルケースに展示することで、昆虫の表裏など普段なかなか見られない部分を観察できる。3 館が位置する生田緑地を案内するネイチャーガイド「生田緑地観察会」も定期的に開催されている。

科学館が位置する生田緑地に生息している動植物の画像やはく製がずらりと並ぶ。鳥類やアライグマ、ハクビシンなどのはく製は間近で見ると迫力満点で、体のつくりなどもよく観察できる。この展示を見てから実際に生田緑地で、同じ動植物を探すのも楽しいだろう。

2階の天文展示では太陽系の惑星から宇宙の構造まで、図やイラストで解説。実物の隕石の展示もあり、隕石に触ることもできる。宇宙のしくみをひととおり学べるので、プラネタリウムの観覧前や夜に星を見る前に見ておくと予備知識として役に立つはずだ。

毎月2回、土曜日には大型望遠鏡がある天体観測スペース「アストロテラス」にて夜間の天体観察会を開催。プラネタリウムでその日の星空を解説したあと屋外で観察するので、星座の探し方などをすぐに実際の空で体験できる。ほかにも、自然観察や科学工作をテーマとした当日参加型イベント「サイエンスワークショップ」や「生田緑地観察会」（要事前申込）など、体験型のイベントが豊富。小さな子どもから大人まで、誰でも参加できるのもうれしい。

おすすめポイント

お食事スポット

隣接する「Cafe 星めぐり」の名物は、マスコットキャラクターをデザインしたここでしか食べられない「『星めぐり』ぷりんちゃんのホットケーキ」。

毎月2回、土曜日に開催する夜間の天体観察会「星を見る夕べ」。誰でも参加でき、望遠鏡で本物の天体の姿に触れられると人気。

かわさき宙と緑の科学館からの

挑《ちょう》戦《せん》状《じょう》

Q.1

鳴《な》いているセミはオス、メスどっち?

ヒントはここ!

1階丘陵《かいきゅうりょう》の自然《しぜん》「セミのオスとメス」

Q.2

土星《どせい》の周《まわ》りの環《わ》は何《なに》でできている?

ヒントはここ!

2階天文展示《かいてんもんてんじ》「太陽系《たいようけい》の歴史《れきし》・構造《こうぞう》」

Q.3

カブトムシは冬《ふゆ》の間《あいだ》どんな状態《じょうたい》で過《す》ごす?

ヒントはここ!

1階《かい》・丘陵《きゅうりょう》の自然《しぜん》「カブトムシ・クワガタムシの一生《いっしょう》」

DATA

かわさき宙と緑の科学館

かわさきそらとみどりのかがくかん

- 神奈川県川崎市多摩区枡形7-1-2
- 044-922-4731
- 9：30〜17：00
平均観覧時間：2時間
- 月曜（祝日の場合は開館）、祝日の翌日（土・日曜、祝日の場合は開館）
- 無料（プラネタリウムは別途料金）
- どなたでも
- 東名高速道路「東名川崎IC」から15分（駐車場は生田緑地の駐車場を利用）
- 小田急線向ヶ丘遊園駅から徒歩15分
- 一部のイベントは事前予約が必要
- https://www.nature-kawasaki.jp/

1

2

1 実物の隕石を触って重さを体感できる展示も。 2 1階プラネタリウムでは毎月変わる科学館オリジナル番組を投影。子ども向けの比較的短い番組もあるので、開催日をチェックしておこう。

食品

カップヌードルミュージアム 横浜

日本生まれのインスタントラーメンが世界的な食文化に発展していく様子を、3000点を超えるパッケージで表現。

どこから見るか迷う 麺と笑顔がいっぱい

「カップヌードルミュージアム」はただの資料館ではない。展示を通して世界初のインスタントラーメンを発明した安藤百福の創造的思考を体感し、子どもの中にある想像力や探究心の芽を吹かせる場所だ。

カップヌードルの手づくり体験（小学生以上）や、自分でデザインしたカップに選んだ具材を入れる世界で1つのカップヌードルづくりなど、わくわくして、おいしい体験だらけ。チキンラーメンが生まれた研究小屋の再現や、安藤百福が出会った世界各国の麺を味わえるフードアトラクションなど、好奇心も空腹も満たしてくれる。

おすすめポイント

ミュージアムグッズ

チキンラーメンかと思ったら、中身はやさしい甘さのサブレ。「ひよこちゃん」をかたどってあり、お土産に大好評。

世界各国の麺の中からなにを選ぼう？　子どもの一番人気はインドネシアのミーゴレン。

1

2

3

4

1 チキンラーメンづくりでは小麦粉をこねるところから手づくり。2 4種のスープと12種の具材からオリジナルのカップヌードルを。組み合わせは5460通り！3 4 安藤百福のクリエイティブな思考を現代アートのスタイルで見せる。

DATA

カップヌードルミュージアム 横浜

かっぷぬーどるみゅーじあむ よこはま

- 神奈川県横浜市中区新港2-3-4
- 045-345-0918
- 10：00〜18：00（入館は17：00まで）
  平均観覧時間：1時間
- 火曜（祝日の場合は開館、翌日休館）
- 大学生以上500円、高校生以下無料
- どなたでも
- みなとみらい線みなとみらい駅・馬車道駅から徒歩8分
  JR根岸線・横浜市営地下鉄ブルーライン桜木町駅から徒歩12分
- チキンラーメンファクトリーの体験は事前予約が必要
- http://www.cupnoodles-museum.jp/ja/yokohama/

カップヌードル
ミュージアム 横浜 からの

挑《ちょう》戦《せん》状《じょう》

Q.1

世界《せかい》ではじめてつくられたカップ麺《めん》の名前《なまえ》は？

ヒントはここ！

2階《かい》インスタントラーメン ヒストリーキューブ

Q.2

手《て》づくりのチキンラーメンは何《なに》と水《みず》をこねるところからはじまる？

ヒントはここ！

3階《かい》チキンラーメンファクトリー

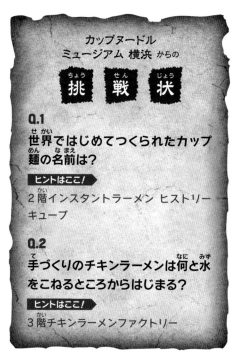

技術

三菱みなとみらい技術館

有人潜水調査船「しんかい6500」の実物大模型。「意外と狭い！」「トイレはどこでするの？」などの声も。

宇宙から深海まで 科学の未来は無限大！

三菱重工グループ創業の歴史から未来の科学技術まで、幅広く知ることができるミュージアム。タッチパネルや、オリジナルキャラクター「テクノくん」が展示説明をしている箇所もあり、科学技術に親しみやすいしくみになっている。

宇宙開発が見せてくれる技術の可能性を、視界を埋め尽くすサークルスクリーンで体感できる「フロンティアシアター」は迫力満点。有人潜水調査船「しんかい６５００」の実物大分解模型は、内部のコックピットまで再現されていて、深海調査を身近に感じられる。家族で楽しめる理科実験もおすすめだ。

三菱みなとみらい技術館からの

挑《ちょう》戦《せん》状《じょう》

Q.1

有人潜水調査船《ゆうじんせんすいちょうさせん》「しんかい6500」のコックピットが丸《まる》い形《かたち》なのはなぜ?

ヒントはここ!

海《うみ》ゾーン「有人潜水調査船《ゆうじんせんすいちょうさせん》『しんかい6500』実物大分解模型《じつぶつだいぶんかいもけい》」

Q.2

H《エッチ》-ⅡA《ツーエー》ロケットが運《はこ》ぶ人工衛星《じんこうえいせい》などの貨物《かもつ》は、ロケットのどこに入《はい》っているの?

ヒントはここ!

宇宙《うちゅう》ゾーン「H《エッチ》-ⅡA《ツーエー》ロケット模型《もけい》」または1階《かい》エントランス「フェアリング実物展示《じつぶつてんじ》パネル」

DATA

三菱みなとみらい技術館

みつびしみなとみらいぎじゅつかん

- 神奈川県横浜市西区みなとみらい3-3-1
  三菱重工横浜ビル
- 045-200-7351
- 10：00～15：00（平日）（入館は14：30まで）
  10：00～16：00（土・日曜、祝日）（入館は15：30まで）
  平均観覧時間：1時間30分
- 休 火・水曜（祝日の場合は開館、翌日休館）、特定休館日
- ¥ 大人500円、中学・高校生300円、小学生200円、未就学児・65歳以上無料
- 未就学児～小学生（推奨は小学4年生～）
- JR根岸線・横浜市営地下鉄ブルーライン桜木町駅から徒歩8分、みなとみらい線みなとみらい駅（5番けやき通り口）から徒歩3分
- 一部のイベントは事前申込が必要
  （詳細は公式HPを要確認）
- www.mhi.com/minatomirai/

1

2

3

1 発電のしくみやエネルギー、インフラの流れなどが見える「タッチウォール」。2「フロンティアシアター」では宇宙開発の技術を大迫力のサークルスクリーンで鑑賞できる。3 自分でつくった深海生物メカ「シーメカニマル」がスクリーンに登場する「しんかいシアター」も魅力的だ。

科学総合

はまぎん こども宇宙科学館

5階「宇宙船長室」から地下2階「あそびの広場／特別展示室」まで、遊びと学びがつまった科学館だ。

宇宙船に乗り込んで宇宙と科学の旅へ

巨大な宇宙船をイメージしたという体験型科学館。「宇宙船長室」や「宇宙発見室」などテーマの異なる5つの展示室があり、遊びながら宇宙や科学の不思議を学べる施設だ。

ジャングルジムのような「惑星ジム」や月面重力を疑似体験する「月面ジャンプ」のように体を動かしながら楽しめる展示は特に人気。難易度の異なる3つのミッションから選んで宇宙船の操縦を体験できる「スペース・シミュレータ」も週末には待ち行列ができるほどだという。

さらにプラネタリウムでは少なくとも7億個の恒星を投影できるという投影機で、臨場感あふれる宇宙体験ができる。

さまざまな天体をテーマにしたサイエンストークイベントにもぜひ参加したい。最先端で研究をしている専門の先生のお話が聞ける貴重な機会だ。そのほかにもミニ実験やサイエンス・ショウ、科学工作教室など当日参加のイベントがたくさんあるので、ぜひ参加してみよう。

世界で最も多くの星を映し出すプラネタリウム投影機として、ギネス世界記録™に認定された投影機を使用。

1 地下２階「あそびの広場」のロボット「Be-2」は中に入って遊ぶことができる。2 3 3階「宇宙トレーニング室」では「空間移動ユニット」や「月面ジャンプ」などで宇宙飛行士体験も！

DATA

はまぎん こども宇宙科学館

はまぎん こどもうちゅうかがくかん

- 神奈川県横浜市磯子区洋光台5-2-1
- 045-832-1166
- 9：30～17：00（入館は16：00まで）平均観覧時間：2時間30分
- 第1・3火曜、臨時休館日
- 高校生以上400円、小・中学生200円（プラネタリウムは別途料金）
- どなたでも
- 横浜横須賀道路「港南台IC」から5分
- JR・京浜東北根岸線洋光台駅から徒歩3分
- 一部のイベントは事前申込が必要
- https://www.yokohama-kagakukan.jp/

はまぎん こども宇宙科学館からの

挑《ちょう》戦《せん》状《じょう》

Q.1

地《ち》球上《きゅうじょう》での 1kgのおもりを火星《かせい》に持《も》っていったら、軽《かる》くなる？　重《おも》くなる？

ヒントはここ！

5階《かい》「太陽系引力《たいようけいいんりょく》くらべ」

Q.2

月面《げつめん》の重力《じょうりょく》は、地《ち》球上《きゅうじょう》とくらべてどのくらい軽《かる》くなる？

ヒントはここ！

3階《かい》「月面《げつめん》ジャンプ」

 取材協力：はまぎん こども宇宙科学館

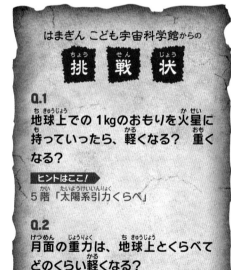

科学総合

藤沢市湘南台文化センター こども館

赤外線望遠鏡
見えない光「赤外線」を見てみよう。
のぞいてみよう

普通は目に見えない赤外線を見ることのできる「赤外線望遠鏡」など変わった装置も展示されている。

子どもの好奇心を満たす遊び場

実際に手に触れ遊んで学べる展示ホールやワークショップ、プラネタリウムなど一日中楽しめる施設。

三角形の鏡の中に入ると自身の姿が360度さまざまな形で現れる「万華鏡の部屋」や、ハンドルを回すと惑星が各周期に合わせて移動する「太陽系軌道模型」などが人気。展示物の解説には読み仮名をつけ、簡単な表現にすることで子どもたちが自ら読んで学ぶことができるようになっている。

館内で日本や世界の文化を学べるよう、季節ごとの伝統行事やイベントに合わせた特設展示も展開している。

1 2

1 鏡で面白い姿が見られると人気の「万華鏡の部屋」。2 季節ごとの企画展や世界各国の文化に触れる体験も。

DATA

藤沢市湘南台文化センター こども館

ふじさわししょうなんだいぶんかせんたー こどもかん

- 神奈川県藤沢市湘南台1-8
- 0466-45-1500
- 9：00～17：00（チケット販売は16：30まで）平均観覧時間：2時間30分
- 休 月曜（祝日の場合は開館）、祝日の翌日（土日祝の場合を除く）
- ¥ 高校生以上300円、小・中学生100円、未就学児無料
- 未就学児～小学校中学年
- 小田急江ノ島線・相鉄いずみ野線・横浜市営地下鉄ブルーライン湘南台駅（G出口）から徒歩5分
- 一部のイベントは事前申込が必要（詳細は公式HPを要確認）
- https://www.kodomokan.jp

藤沢市湘南台文化センターこども館からの

挑《ちょう》戦《せん》状《じょう》

Q.1

どうしてカエルは梅雨《つゆ》の季節《きせつ》によく鳴《な》くの？

ヒントはここ！

本館地下《ほんかんちか》1階《かい》 展示《てんじ》ホール「ジオラマ」

Q.2

太陽系《たいようけい》で一番速《いちばんはや》く動《うご》く惑星《わくせい》は？

ヒントはここ！

本館《ほんかん》2階《かい》 円環《えんかん》ギャラリー「太陽系軌道《たいようけいきどう》模型《もけい》」

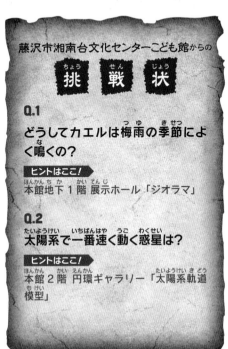

生物

相模川ふれあい科学館 アクアリウムさがみはら

展示飼育スタッフによる解説イベントを毎日開催。生き物や身近な自然に関してスタッフが丁寧に教えてくれる。

相模川の魅力を生き物が教えてくれる

相模川の自然に親しみ、守り育てる心を育む施設として誕生した「相模川ふれあい科学館アクアリウムさがみはら」。屋外水槽では、コイやアブラハヤ、ウグイなどの川魚に餌付け体験ができる人気イベント「お魚にごはん」が楽しめる。餌を握った手を水槽につけると普段は近くに寄ってこない川魚たちが集まってきて、餌を食べる魚の様子が間近で見られる。

飼育スタッフによる解説イベントも毎日行われ、相模川の生き物たちや身近な自然について楽しく学べると人気だ。生き物の生態や魅力、自然環境がテーマの特別企画展も見逃せない。

1

2

1 コイやウグイなどの川魚に餌やりができる。水槽内がよく見えるので餌を食べる様子も観察できる。**2** 幼児から参加できるワークショップもあり。

DATA

相模川ふれあい科学館
アクアリウムさがみはら
さがみがわふれあいかがくかん
あくありうむさがみはら

- 神奈川県相模原市中央区水郷田名1-5-1
- 042-762-2110
- 9：30〜16：30
  平均観覧時間：90分
- 月曜（祝日の場合は開館）
- 高校生以上450円、小・中学生150円、65歳以上220円
- どなたでも
- 圏央道「相模原愛川IC」から約6km、国道16号線「相模原駅入口」から5.5km
- 神奈川中央交通バス「ふれあい科学館前」下車すぐ
- 解説イベントは予約不要
- https://sagamigawa-fureai.com

相模川ふれあい科学館
アクアリウムさがみはらからの

挑《ちょう》戦《せん》状《じょう》

Q.1

神奈川県《かながわけん》で絶滅《ぜつめつ》した、または絶滅《ぜつめつ》危惧種《きぐしゅ》に指定《してい》された水生昆虫《すいせいこんちゅう》は?

A：ゲンゴロウ　B：ガムシ

C：タガメ

ヒントはここ!

人《ひと》ゾーン「水生昆虫水槽《すいせいこんちゅうすいそう》」

Q.2

回遊生物《かいゆうせいぶつ》であるアユはどことどこを行《い》ったり来《き》たりするの?

ヒントはここ!

生命《せいめい》ゾーン「回遊生物《かいゆうせいぶつ》の一生《いっしょう》」

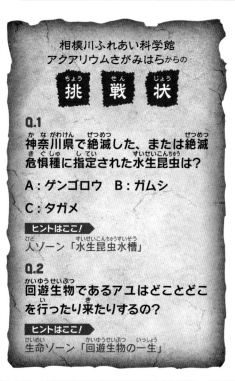

技術

JAXA筑波宇宙センター

正門を入ってすぐの「ロケット広場」にある実物のH-IIロケットの展示。全長50mもあるその大きさに圧倒される。

実物大の人工衛星やISSで"本物"を体感

JAXAの研究施設である筑波宇宙センターに設置されている展示施設。JAXAが取り組む宇宙開発について、実物大の模型や試験モデルなどを用いて解説されている。施設に入ると真っ先に目に留まるのがH-IIロケットの実機だ。50メートルもの大きさは迫力満点で、記念撮影する人も多いという。展示館「スペースドーム」の中には歴代のロケットの模型も展示してあり、過去から現在までのロケットの歴史を見比べることもできる。

展示館内の大型マルチビジョンでは、JAXAの人工衛星に関するクイズを出題。館内の展

1

2

3

1 日本の歴代ロケットの多くを1/20縮尺模型で展示。実際の燃焼試験で使われたロケットエンジンの試験モデルも。2 人の動きに反応して画面を動かすことのできるマルチビジョン「マモルホシ」。3 開発に使用された人工衛星の試験モデルや小惑星探査機「はやぶさ2」などの模型を見ることができる。

示内容とリンクしているので、最初にクイズに挑戦してから見て回るのがおすすめだ。館内には地球観測分野で活躍する陸域観測技術衛星「だいち」や技術試験衛星「きく」シリーズの試験モデルなどを多数展示。それぞれの衛星の宇宙での役割や成果を〝本物〟に触れながら学べる。

おすすめポイント

無料の学習シート

公式ホームページからダウンロードできる学習シートを事前に印刷して持って行くと、シートの問題を解きながら楽しく見学することができる。小学校低学年向けなどレベルが3段階に分かれているのもうれしい。

「きぼう」日本実験棟の内部は、実際と同じように実験装置やシステム機器を搭載するための「ラック」で囲まれている。

JAXAの宇宙飛行士がさまざまな実験を行う国際宇宙ステーションの「きぼう」日本実験棟。展示館ではこの「きぼう」の実物大モデルを展示し、実際の「きぼう」と同じように「船内実験室」、「船外実験プラットフォーム」の2つの実験スペース、「船内保管室」、「ロボットアーム」を備えている。船内実験室は中に入ることができ、宇宙飛行士が微小重力である宇宙環境でどのような実験を行っているかを知ることができる。撮影も可能なので、宇宙飛行士になったつもりで船内を探検してみよう。

土日祝日に不定期で「ロケット打上げ音響体験&展示館ミニツアー」も開催しているので、開催日や時間を事前にホームページでチェックしておこう。

「きぼう」の模型内部に設置されたロボットアームの操作用スティック。当初は宇宙飛行士の手で操縦していたが、現在は宇宙飛行士の負担を減らすため、地上の管制センターから遠隔操作を行えるようになっている。

DATA

JAXA 筑波宇宙センター

じゃくさつくばうちゅうせんたー

- 茨城県つくば市千現2-1-1
- 非公開
- 10：00～17：00（見学受付は9：30から16：30まで）
  平均観覧時間：1時間30分
- 不定休、施設点検日など
- 無料（ガイド付き見学ツアーは有料）
- どなたでも
- 常磐道「桜土浦IC」から10分
- つくばエクスプレスつくば駅からタクシーで10分
- ガイド付き見学ツアーは事前予約が必要
- https://visit-tsukuba.jaxa.jp/

JAXA 筑波宇宙センターからの挑《ちょう》戦《せん》状《じょう》

Q.1

日本《にほん》のロケットの大《おお》きさはどれくらいでしょう?

ヒントはここ!

展示館《てんじかん》「08 ロケット・輸送《ゆそう》システムのコーナー」、ロケット広場《ひろば》「H-Ⅱロケット」

Q.2

どこからが「宇宙《うちゅう》」なのでしょうか?

ヒントはここ!

展示館《てんじかん》「00 ドリームポート」

Q.3

JAXAには何人《なんにん》の宇宙飛行士《うちゅうひこうし》がいるでしょう?

ヒントはここ!

展示館《てんじかん》「07 有人《ゆうじん》・宇宙環境利用《うちゅうかんきょうりよう》」

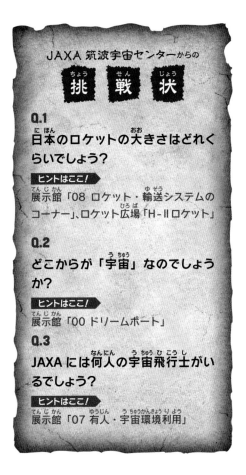

その他

地図と測量の科学館

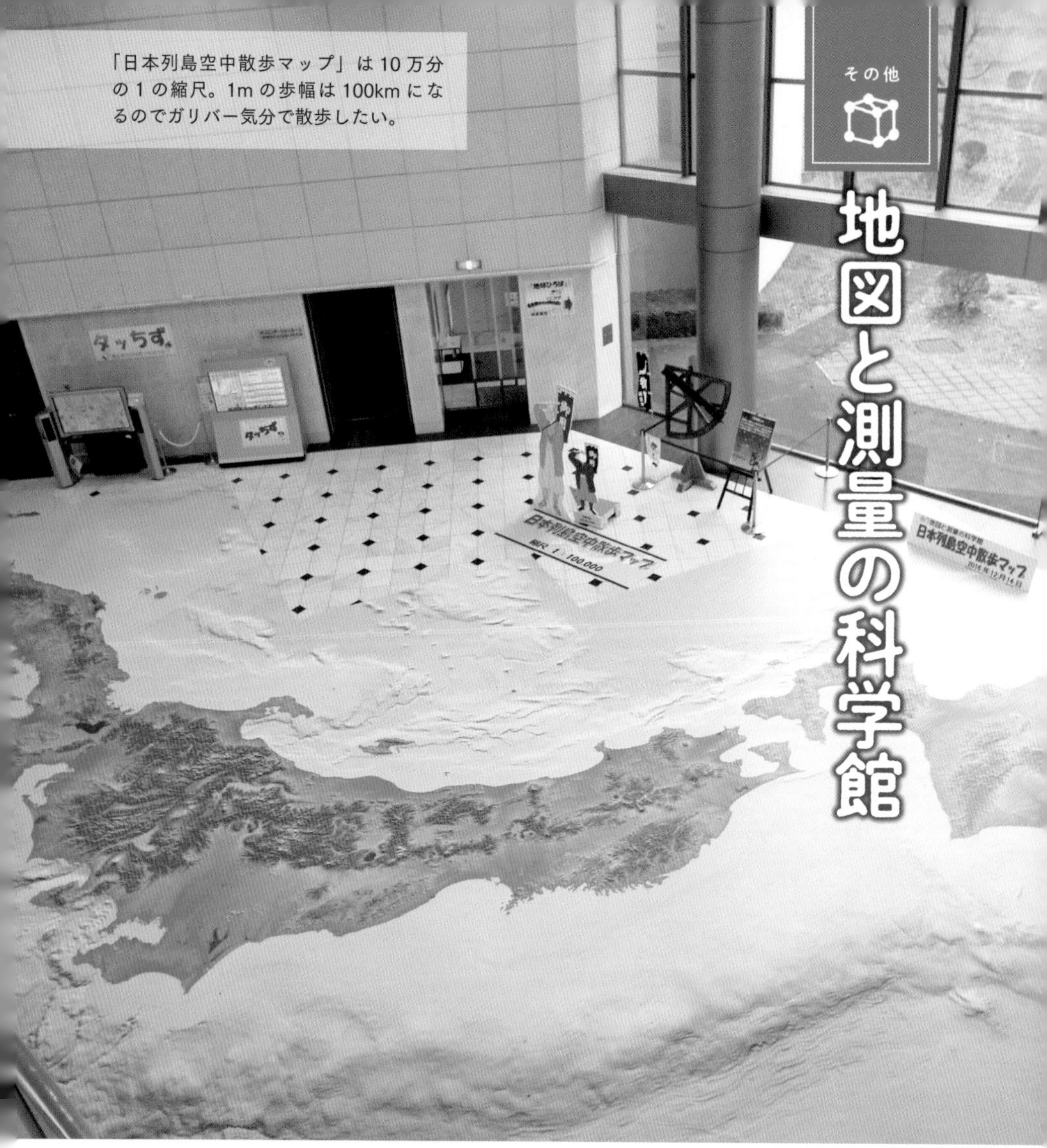

「日本列島空中散歩マップ」は10万分の1の縮尺。1mの歩幅は100kmになるのでガリバー気分で散歩したい。

ガリバー気分で日本全国を空中散歩

国土地理院本院に隣接する同施設は、地図や測量に関する歴史、原理やしくみ、驚くような技術などを総合的に展示している。

ロビーでは、さっそく大きな日本地図が待ち構えている。専用メガネで見ると山の高さや海の深さが立体的に浮かび上がり、凹凸が激しく複雑な日本という島の姿を目の当たりに。

20万分の1の縮尺の「日本列島球体模型」は実際に登ることができる模型。この縮尺なら国際宇宙ステーションは上空約2メートルに相当。こうして地球の丸みや大きさを実感すると、世界を身近に感じられそうだ。

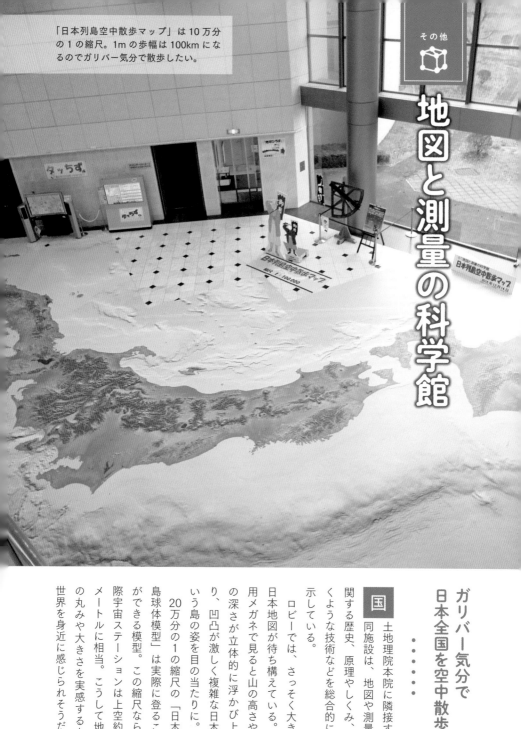

地図と測量の科学館からの

挑《ちょう》戦《せん》状《じょう》

Q.1

つくばからロンドンまでの距離《きょり》は何《なん》 km でしょう？

ヒントはここ！

地球《ちきゅう》ひろば「日本列島球体模型《にほんれっとうきゅうたいもけい》」

Q.2

地図記号《ちずきごう》の中《なか》で、小《しょう》・中学生《ちゅうがくせい》に公募《こうぼ》して選《えら》ばれたものが2つあります。何《なに》と何《なに》でしょう？

ヒントはここ！

2階常設展示室《かいじょうせつてんじしつ》「主《おも》な地図記号《ちずきごう》の由来《ゆらい》、地図記号《ちずきごう》の移《うつ》り変《か》わり」

DATA

地図と測量の科学館
ちずとそくりょうのかがくかん

- 茨城県つくば市北郷1
- 029-864-1872
- 9：30～16：30（入館は16：00まで）
  平均観覧時間：1時間
- 休 月曜（祝日の場合は開館、翌平日休館）
- ¥ 無料
- どなたでも
- 常磐道「谷田部IC」から20分
  圏央道「つくば中央IC」から10分
- 関東鉄道バス「国土地理院」・つくバス「国土地理院・つくば警察署」下車すぐ
- https://www.gsi.go.jp/MUSEUM/

1

2

3

1 「日本列島球体模型」で自分の住む地域を探してみては。2 引退した測量用航空機「くにかぜ」は空中写真撮影用の大型レンズを搭載する機内を不定期で公開。3 伊能忠敬の手がけた古地図など貴重な展示も。

植物

筑波実験植物園

チョコレートの原料であるカカオの実やバニラ、バナナ、レモンの木など、身近だけどなかなかお目にかかれない植物も。

世界中の植物が集結 植生環境を肌で感じる

国内外のさまざまな植物の研究や絶滅危惧植物などの保全に取り組む、国立科学博物館附属の植物園。約14万平方メートルの敷地には、熱帯や乾燥地、熱帯雨林など世界中の植生環境が再現され、約3000種の植物を自然に近い姿で観察できる。温度や湿度、雨量、土壌などの違いでどのように植物が育つかを比較してみると面白い。

季節の植物を使ったワークショップから研究者による「昆虫を誘う花の香りの科学」のような講座まで、年間を通してさまざまなイベントも開催される。晴れた日は飲食スペースでお弁当を広げるのもよさそうだ。

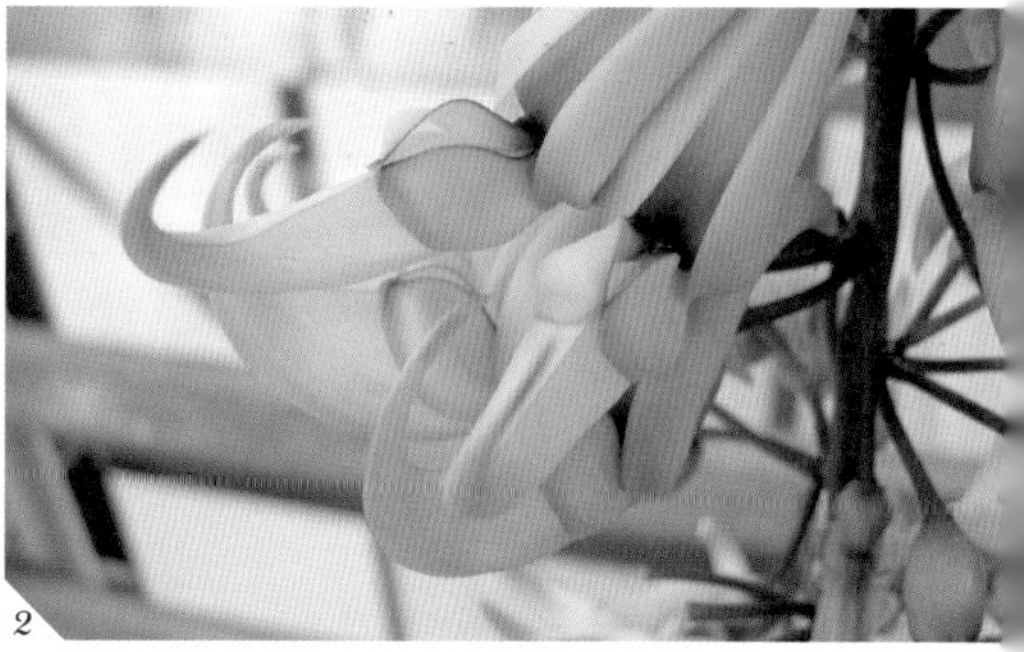

1 自生地ではおよそ7年に1度しか咲かないといわれる世界最大級の花「ショクダイオオコンニャク」。2 ヒスイカズラの仲間は美しい色合い。

DATA

筑波実験植物園

つくばじっけんしょくぶつえん

- 茨城県つくば市天久保 4-1-1
- 029-851-5159
- 9：00～16：30（入園は16：00まで、企画展等の場合は延長することもあり）
  平均観覧時間：1～2時間
- 休 月曜（祝日・休日の場合は開園）、祝日・休日の翌日（土・日曜の場合は開園）
- ¥ 一般・大学生320円、高校生以下・65歳以上無料
- どなたでも
- 常磐道「桜土浦IC」から20分、圏央道「つくば中央IC」から20分
- つくバス「天久保（筑波実験植物園前）」下車徒歩3分、関東鉄道バス「筑波実験植物園前」下車徒歩3分
- 一部のイベントは事前申込が必要
- https://tbg.kahaku.go.jp/

筑波実験植物園からの

挑《ちょう》戦《せん》状《じょう》

Q.1

よい香《かお》りがするバニラも植物《しょくぶつ》ですが、何《なん》の植物《しょくぶつ》の仲間《なかま》でしょう？

ヒントはここ！

熱帯《ねったい》資《し》源植物温室《げんしょくぶつおんしつ》

Q.2

食虫植物《しょくちゅうしょくぶつ》ウツボカズラの仲間《なかま》はどこに虫《むし》を誘《さそ》い込《こ》んで食《た》べるのでしょう？

ヒントはここ！

熱帯雨林温室《ねったいうりんおんしつ》2階《かい》「ウツボカズラのなかま」

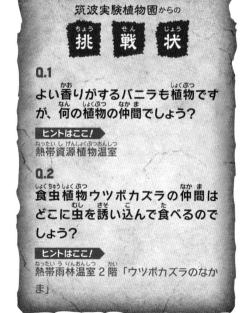

科学総合

体を使った遊びを通して科学の原理や楽しさが体験できる展示場をはじめ、オリジナル番組などを上映するプラネタリウムも。

つくばエキスポセンター

展示も実験も工作も！体験がつまった科学館

科学のまち・つくばにある「つくばエキスポセンター」は科学・技術に関する体験型の展示物のほか、6台構成の4Kレーザープロジェクターを使用した世界最大級のプラネタリウムがある科学館。

1階展示場は体験展示物を主としており、低学年向けの構成となっている。なかでも、大きなシャボン玉の中に入れる「シャボン玉のかべ」は大人気の展示物だ。うまくつくれるとシャボン玉の壁がだんだんと迫ってくる不思議で面白い体験ができる。

ほかにも、不思議な物理現象を体験できる「ジャイロ」や、直感に反するボールの動きからケプラー運動を学べる「エキスポ・ブラックホール」など、独特な展示物が盛りだくさん。

これの展示は子どもたちが直感的に操作できるよう工夫されているが、わからなくてもスタッフやボランティアインストラクターがやさしく教えてくれるので安心だ。

おすすめポイント　ミュージアムショップ

公式キャラクター「コスモ星丸」のオリジナルグッズをはじめ、普段食べることができない宇宙食など、スタッフが厳選した科学グッズを販売。

1

2

3

4

1 大人気の「シャボン玉のかべ」。2 「ケプラー運動」を体験できる「エキスポ・ブラックホール」。3 科学教室やサイエンスショーも週末や長期休暇に開催。4 高精細な映像を楽しめるプラネタリウム。

DATA

つくばエキスポセンター

つくばえきすぽせんたー

- 茨城県つくば市吾妻2-9
- 029-858-1100
- 9：50～17：00（入館は16：30まで）
平均観覧時間：1時間30分
- 月曜（祝日の場合は開館、翌平日休館）、臨時休館日
- 大人（18歳以上）500円、子ども（4歳以上）250円、3歳以下無料（プラネタリウムは別途料金）
- どなたでも
- つくばエクスプレスつくば駅（A2出口）から徒歩5分
- 一部のイベントは事前申込が必要
- https://www.expocenter.or.jp/

つくばエキスポセンターからの

挑《ちょう》戦《せん》状《じょう》

Q.1

真空状態《しんくうじょうたい》になるとベルの音《おと》はどうなるでしょう？

ヒントはここ！

2階《かい》展《てん》示《じ》場《じょう》「宇《う》宙《ちゅう》への挑戦《ちょうせん》」ゾーン「真空《しんくう》ポンプ」

Q.2

私《わたし》たちの身《み》近《ぢか》にある「放射線《ほうしゃせん》」はどこからくる？

ヒントはここ！

1階《かい》エネルギーゾーン「放射線《ほうしゃせん》と宇《う》宙《ちゅう》の旅《たび》」

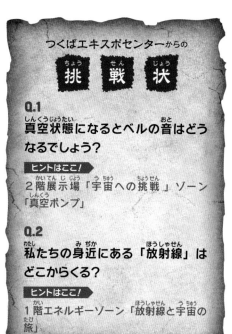

地質標本館

1階ロビーにある、ジュラ紀に堆積し白亜紀に褶曲《しゅうきょく》した地層の巨大なレプリカは大迫力だ。

日本はどうやって形づくられた？

日本の地質、地下資源、火山と地熱、地震と活断層などのテーマごとに展示を行う国内最大級の地球科学専門の博物館。15万点以上の岩石・鉱物・化石などの標本を保管し、そのうちの約２０００点を展示している。スケールの大きな展示が多く、なかでも日本列島の34万分の1の模型にはプロジェクションマッピングで地形図・衛星写真などの背景画像に河川・交通網・活火山など10種類の画像を自由に重ねて投影できる。

一見難しそうな内容に思えるが、私たちの暮らすこの地の下に何が隠されているのか、興味がわいてくるはずだ。

地質標本館からの

挑《ちょう》戦《せん》状《じょう》

Q.1

これは何《なん》という鉱物《こうぶつ》でしょう？

© 産総研 地質調査総合センター

ヒントはここ！

第《だい》4展示室《てんじしつ》 岩石《がんせき》・鉱物《こうぶつ》・化石《かせき》

Q.2

「蛍光《けいこう》を出《だ》す鉱物《こうぶつ》」にはどのような鉱物《こうぶつ》があるでしょう？

ヒントはここ！

第《だい》2展示室《てんじしつ》

DATA

地質標本館

ちしつひょうほんかん

- 茨城県つくば市東1-1-1
- 029-861-3750
- 9：30～16：30
  平均観覧時間：1時間
- 月曜（祝日・休日は開館、翌平日休館）
- 無料
- 小学校高学年以上
- 常磐道「桜土浦IC」から20分
- AIST連絡バス「並木二丁目」下車
  徒歩7分
- 一部のイベントは事前予約が必要
- https://www.gsj.jp/Muse/

1

2

3

1 岩石・鉱物・化石など約2000点の標本を展示。10カラットのダイヤモンドは必見。 2 地質についての知識がなくても視覚的にわかりやすい。 3 富士・箱根火山の立体模型。見慣れた山が実は火山であることも。

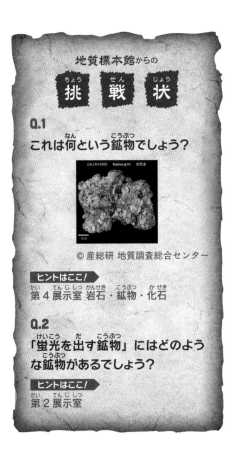

科学総合

ミュージアムパーク茨城県自然博物館

ティラノサウルスとトリケラトプスの動く復元ロボット。展示をよく見ると、恐竜以外の生き物もいるのがわかる。

リアルな恐竜たちや変化する自然に触れる

地球の誕生から現代までの歴史を自然環境から学ぶ日本最大級の自然史系博物館。「恐竜たちの生活」に展示されているティラノサウルスとトリケラトプスは、動いたり鳴いたり迫力満点。恐竜と一緒に写真が撮れるフォトスポットも人気だ。

実物の木や落ち葉をふんだんに使って森林を再現した「森林のジオラマ」では、さまざまな動物のはく製が間近に見られる。

実際の自然の中でさまざまな体験ができる野外施設やミニ水族館も。「夢の広場」のトランポリンで遊んだり、「野外クイズ」を楽しんだり、思いっきり自然に触れてみよう。

おすすめポイント

お食事スポット

「レストラン ル・サンク」で食べられる恐竜型のナゲットがのったボリューム満点の恐竜カレーは、プレゼント付きで来館の思い出にもなる。

1 実物の木や落ち葉を使って再現された森林。
2 茨城県を流れる久慈川をモデルとした水辺の生き物の生態を観察できる。

DATA

ミュージアムパーク 茨城県自然博物館

みゅーじあむぱーく
いばらきけんしぜんはくぶつかん

- 茨城県坂東市大崎700
- 0297-38-2000
- 9：30～17：00（入館は16：30まで）
  平均観覧時間：半日～1日
- 月曜（祝日の場合は開館、翌平日休館）
- 企画展時期　一般750円、小・中学生150円（通常期など詳しくは公式HPを要確認）
  ※日曜・祝日及び特定の日の入館は要予約
- どなたでも
- 常磐道「谷和原IC」から20分、圏央道「坂東IC」から25分
- 東武アーバンパークライン愛宕駅から茨城急行バス「自然博物館入口」下車徒歩15分、つくばエクスプレス・関東鉄道常総線守谷駅から関東鉄道バス「自然博物館入口」下車徒歩10分
- 一部のイベントは事前申込が必要
- https://www.nat.museum.ibk.ed.jp/

ミュージアムパーク 茨城県自然博物館からの 挑《ちょう》戦《せん》状《じょう》

Q.1

もとは日本《にほん》にいなかった動物《どうぶつ》は？

A: タヌキ　B: アライグマ

ヒントはここ！
本館《ほんかん》２階《かい》 第《だい》５展示室《てんじしつ》・人間《にんげん》と環境《かんきょう》
「外来種《がいらいしゅ》の脅威《きょうい》とその対策《たいさく》」

Q.2

土《つち》の中《なか》に住《す》んでいて、落《お》ち葉《ば》を食《た》べる生《い》き物《もの》はどれ？

A: アリ　B: ミミズ　C: ムカデ

ヒントはここ！
本館《ほんかん》２階《かい》 第《だい》３展示室《てんじしつ》・自然《しぜん》のしくみ
「土《つち》の中《なか》の生《い》きもの」

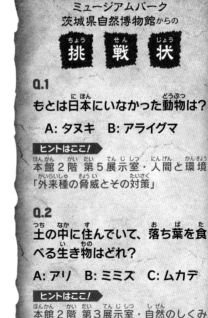

千葉市科学館

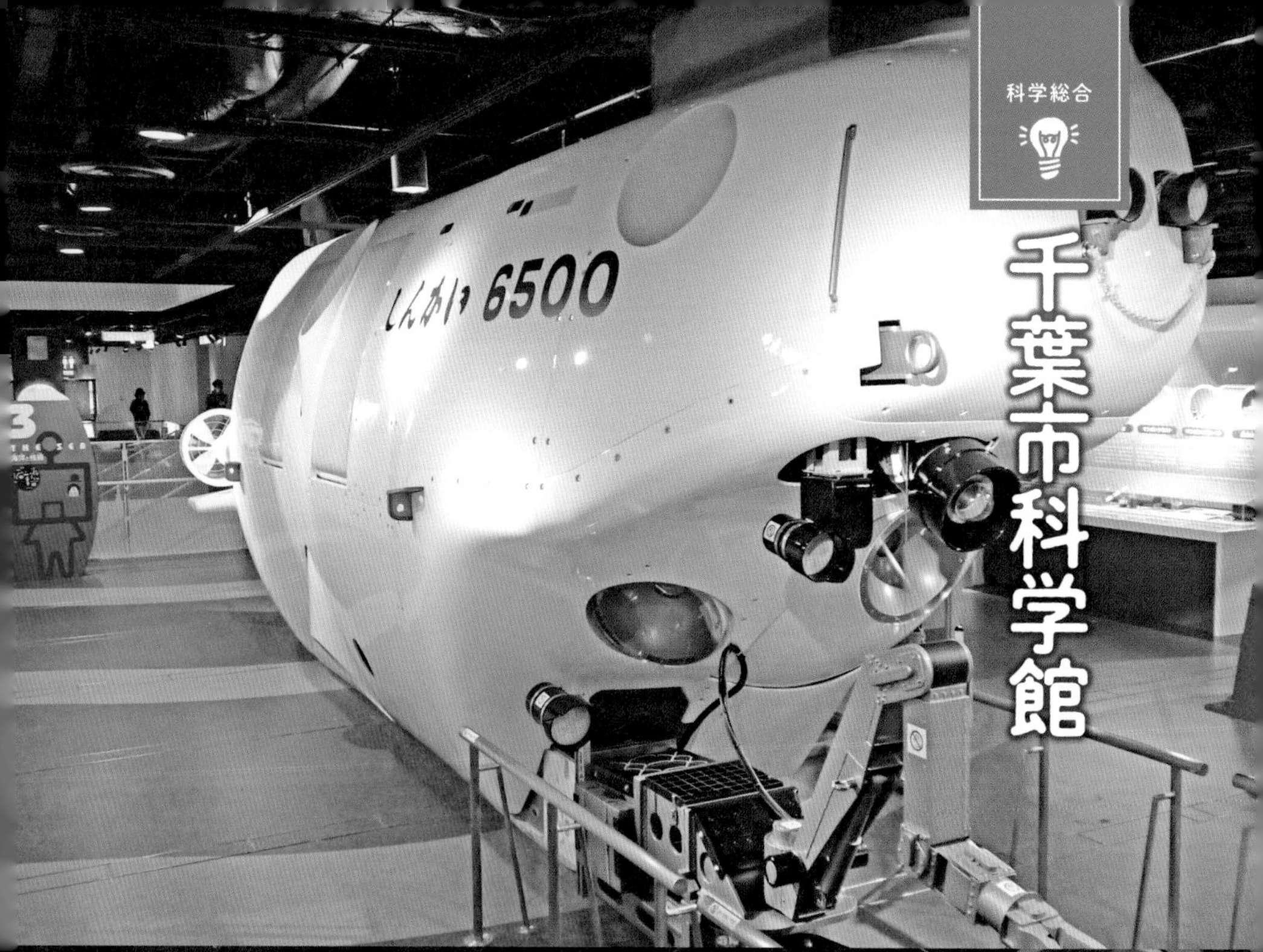

「しんかい６５００」のコックピットに乗って深海探索気分を体感。この狭さで長時間の観察や研究をするクルーはすごい！

科学は特別じゃない！ 技術は日常のためにある

最先端の技術も、もともとは小さなひらめきや、単純明快な科学の原理に基づくものだった。だからこそ、日常の身のまわりのすべてが科学の種。触れたり体験したり、スタッフとコミュニケーションしたりすることも楽しみな、この科学館の展示やイベントからは、そんな想いが伝わってくる。

2022年の一部リニューアルを経て、常設展示に宇宙、地球、深海、錯視などの分野が加わり、触れられる科学のバラエティはさらに広がっている。興味によってさまざまな見方ができるが、特におすすめは「海洋と技術エリア」の「しんかい6500大解剖」。人を乗せて6500メートルまで潜ることのできる有人潜水調査船の実物大モデルが展示され、コックピットに乗ることもできる。

また、7階のプラネタリウムには1000万個以上の星が映し出され、天体の動きをリアルに再現してくれる。

おすすめポイント

ミュージアムグッズ

千葉市科学館オリジナル商品「箱入り娘」。館内8階にあるスライディングブロックパズルの展示を商品化したもので、幅広い世代に人気がある。

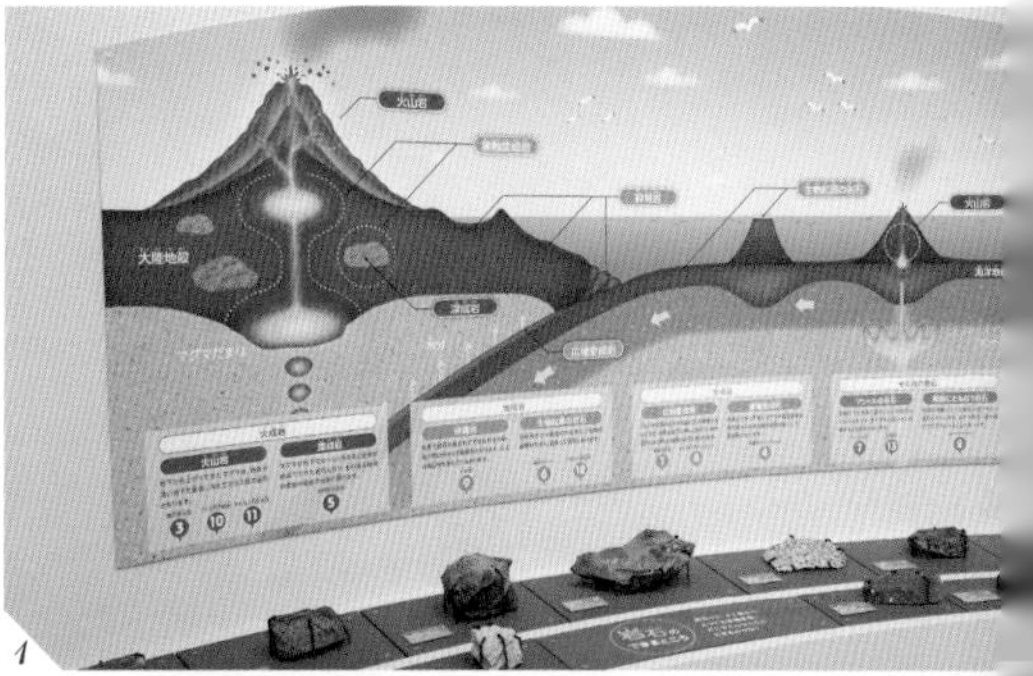

1 10階は宇宙と地球の神秘を体験する「ジオタウン」。岩石の不思議などスケールの大きな科学に迫る。2 3 宇宙の起源に関わるニュートリノ。目に見えないニュートリノを検出器がどうとらえるかを知ることができる。

1

2

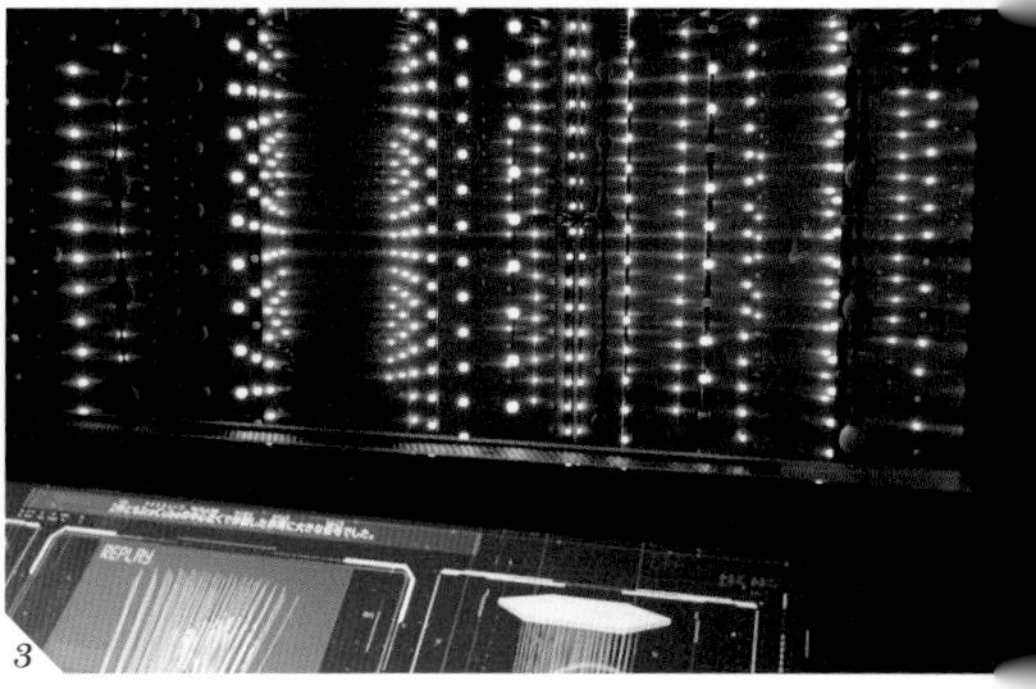

3

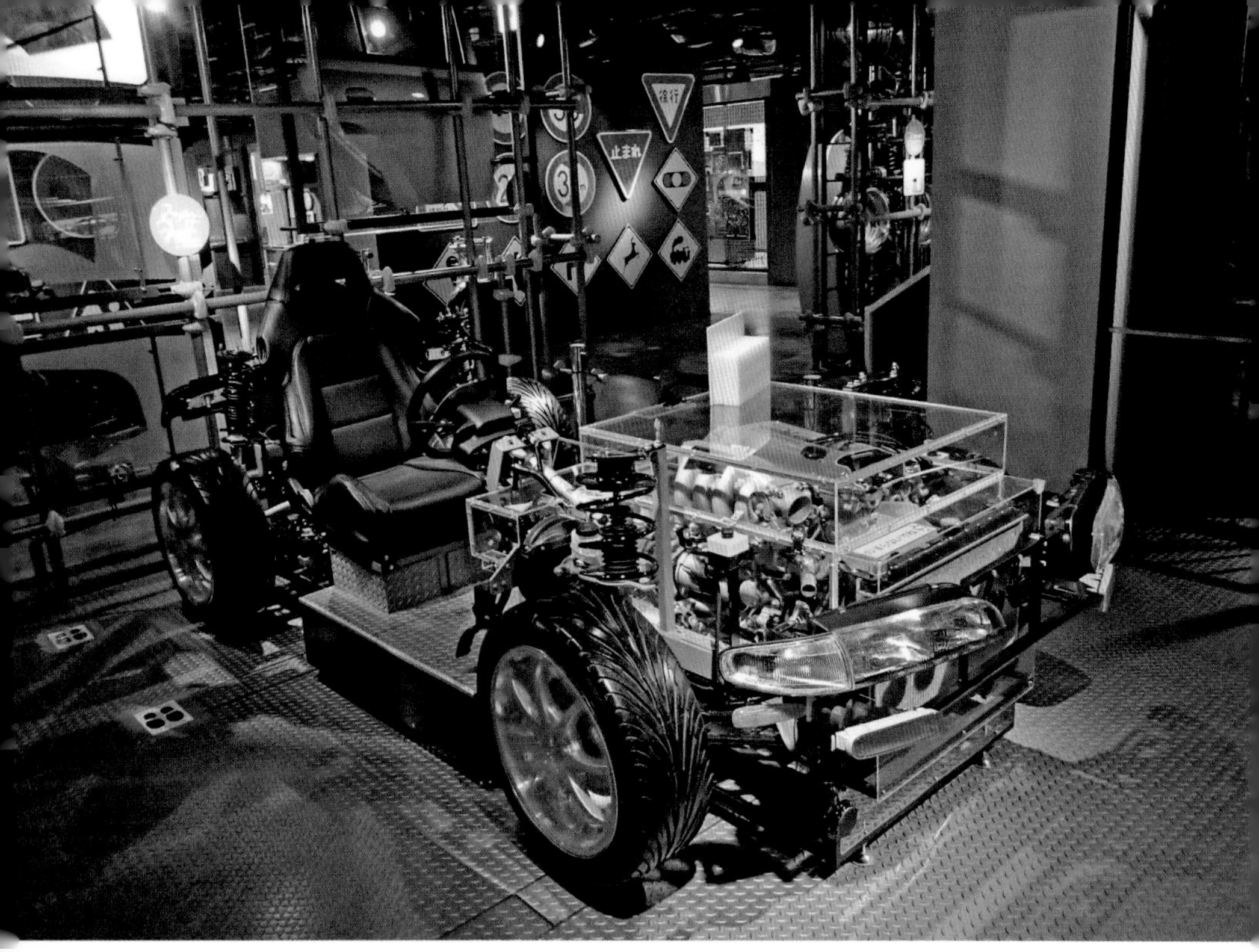

フロアはジオタウン、テクノタウン、ワンダータウン、プラネタリウムなどに分かれている。

本物の車のボディを外した展示は9階テクノタウンの「機械と技術エリア」にある「スケルトンカー」。車に乗り込んで、ハンドルやヘッドライト、シフトレバーを操作することができるので、操作に応じてどこがどんなふうに動くのか、車の構造が直感的にわかりやすい。

充実の常設展示に加え、企画展も年に5回ほど開催している。常設展示にさらにエンターテイメントを付加した内容をめざす企画展では、音楽や美術やスポーツと同様、科学も文化の1つとしてとらえてアイデアを出し合っているという。それも、さまざまな科学技術が日常生活に密接に関わっていることを感じてもらいたいからだ。

1

2

1 目に見えない音を視覚化してみると、音に対する意識や感覚が変わるかも。2 視覚トリックを体感できる「傾いた部屋」。

千葉市科学館からの

挑《ちょう》戦《せん》状《じょう》

Q.1

音《おと》を目《め》で見《み》るにはどうしたらいい？

ヒントはここ！

8階《かい》 音《おと》の不思議《ふしぎ》エリア「音《おと》の模様《もよう》」「音《おと》の波《なみ》」

Q.2

未来《みらい》の給食《きゅうしょく》はどんなメニュー？

ヒントはここ！

9階《かい》 技術《ぎじゅつ》の進歩《しんぽ》エリア「世界《せかい》で活躍《かつやく》！ 日《に》本《ほん》の技術《ぎじゅつ》」

Q.3

いろいろな色《いろ》や模様《もよう》の石《いし》があるのはなぜ？

ヒントはここ！

10階《かい》 地球《ちきゅう》を探《さぐ》るエリア「岩石《かんせき》のできるところ」

DATA

千葉市科学館

ちばしかがくかん

- 千葉県千葉市中央区中央4-5-1
  複合施設Qiball（きぼーる）内 7階〜10階
- 043-308-0511
- 9：00〜19：00（入館は18：30まで）
  平均観覧時間：2時間
- 不定休
- 大人600円、高校生300円、小・中学生100円（プラネタリウムは別途料金）
- どなたでも
- 京成電鉄千葉中央駅から徒歩6分
  JR千葉駅（東口）から徒歩15分
  千葉都市モノレール葭川公園駅から徒歩5分
- 一部のイベントは事前予約が必要
- https://www.kagakukanq.com/

プラネタリウムは恒星投影機とCG映像を映し出す２つのシステムを同時に使うハイブリッド式。

技術

千葉県立現代産業科学館

「アーク放電」「沿面放電」「雷放電」という３つの現象を再現する、国内でも珍しい「放電実験」は大きな音で迫力満点。

迫力のある演示実験に釘付け

産業に応用された科学技術を、見て、触れながら学べる施設。たとえば、実際に使用されていた火力発電用のタービンローターの実物や、1913年製のT型フォードの実物など、現代産業の歴史を知ることができる展示物が豊富だ。

　さまざまな演示実験も人気が高い。サイエンスステージでは不思議な科学現象や原理を、実験を通して紹介している。また、放電実験室での放電実験や、実験シアターでの冷凍実験、超電導実験も迫力がある。日常生活や学校ではあまり見る機会のない現象や実験が間近に見られるチャンスをお見逃しなく。

1 実験と偉人の発明・発見に関するエピソードなどを交えたサイエンスステージ。2 東京電力千葉火力発電所（当時の名称）で実際に使われていた火力発電用のタービンローターの実物。

DATA

千葉県立現代産業科学館

ちばけんりつげんだいさんぎょうかがくかん

- 千葉県市川市鬼高1-1-3
- 047-379-2000
- 9：00～16：30（入館は16：00まで）
  平均観覧時間：2時間
- 休 月曜（祝日・振替休日の場合は開館、翌日休館）、臨時休館日
- ¥ 大人300円、高校・大学生150円、中学生以下・65歳以上無料
  （プラネタリウム・企画展は別途料金）
- どなたでも
- 京葉道路「京葉市川IC」から5分
- JR総武線下総中山駅・本八幡駅から徒歩15分
  京成本線鬼越駅から徒歩13分
- 一部のイベントは事前web予約が必要
- http://www2.chiba-muse.or.jp/www/SCIENCE/

千葉県立現代産業科学館からの

挑《ちょう》戦《せん》状《じょう》

Q.1

「鉄《てつ》」をつくるための3つの材料《ざいりょう》は？

ヒントはここ！

2階《かい》 現代産業《げんだいさんぎょう》の歴史《れきし》「鉄《てつ》の原料《げんりょう》」

Q.2

雷《かみなり》はどうして起《お》こるのかな？

ヒントはここ！

1階《かい》 創造《そうぞう》の広場《ひろば》「放電実験室《ほうでんじっけんしつ》」

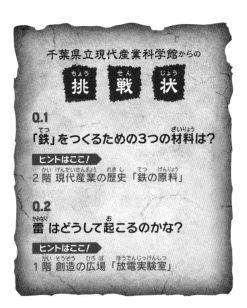

食品

キッコーマン もの知りしょうゆ館

キッコーマン野田工場内の見学施設。館内のイートインコーナー「まめカフェ」のしょうゆソフトクリームが人気。

しょうゆの製造工程を間近で観察

キッコーマンのしょうゆ工場の中にある「キッコーマンもの知りしょうゆ館」は、日本を代表する調味料〝しょうゆ〟のすべてがわかるミュージアム。「食に関する情報・知識・体験を提供する」というキッコーマンの食育の定義を体現する施設だ。

　しょうゆの製造における大事なポイントの1つである「しょうゆ麹」の実際のつくり方を、大型設備の観察や映像を通じて学ぶことができる。また、しょうゆ麹に食塩水を混ぜた「もろみ」の熟成段階を、見たり嗅いだりして比較することで、目に見えない微生物が果たす役割も実感できる。普段何気なく使っているしょうゆができるまでの、ダイナミックな製造工程に驚くだろう。

　製造工程の見学前に見るしょうゆづくりの映像は幼児〜小学校低学年、小学校中〜高学年、一般と3種あり、年齢に応じて理解しやすい工夫がされているので小さな子どもも楽しめる。

おすすめポイント

近場の子連れスポット

桜の名所としても知られる、広さ約28万平方メートルの「清水公園」。フィールドアスレチックやポニー牧場など遊びも充実。

1 2 3 タンクの中で発酵・熟成させる「もろみ」の初期・発酵期・熟成期の色や香りの違いを体験できる。4 もろみを圧搾してしょうゆを搾った際に出るしょうゆ粕はどんな香りだろう？

DATA

キッコーマンもの知りしょうゆ館

きっこーまんものしりしょうゆかん

- 千葉県野田市野田110
- 04-7123-5136
- 9：00～16：00（入館は15：00まで）
  平均観覧時間：1時間
- 土・日曜、祝日、第4月曜（祝日の場合は翌日も休館）
- 無料(要予約)
- 小学校中学年以上
- 常磐道「流山IC」から20分
- 東武アーバンパークライン野田市駅から徒歩3分
- イベント（不定期開催）は事前予約が必要
- https://www.kikkoman.com/jp/shokuiku/factory/noda/

キッコーマンもの知りしょうゆ館からの 挑《ちょう》戦《せん》状《じょう》

Q.1

しょうゆの原材料《げんざいりょう》は何《なに》？

ヒントはここ！
最初《さいしょ》の見学《けんがく》スポット「原料《げんりょう》パネル」

Q.2

もろみを搾《しぼ》るときは最大《さいだい》でどれくらいの力を加《くわ》えているでしょう？

ヒントはここ！
圧搾工程《あっさくこうてい》

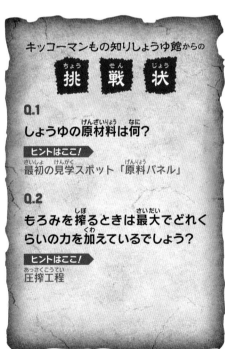

技術

航空科学博物館

戦後初の国産旅客機「YS-11」の試作一号機。国産の飛行機と本館メイン展示のボーイング747の違いを探してみて。

飛行機をより深く理解できる博物館

日本最初の航空専門の博物館である「航空科学博物館」。屋外展示場にあるのは、戦後初の国産旅客機であるYS−11試作一号機の実機だ。普段見ることのできない国産の飛行機を隅々まで観察してみよう。また、西棟1階にはボーイング747の展示もあるので、YS−11との違いを探してみてはいかがだろうか。

ボーイング747のジェットエンジンは外側カバーが外された状態で展示されているので、内部の構造をじっくり見られる。さらに、プロジェクションマッピングのおかげで、エンジンに取り込まれる空気の流れを視覚的に理解することができる。エンジンが推力を生み出すしくみをここで学んだうえで5階の展望室に行き、飛行機がどのように飛んでいるかを実際に確認すると、より楽しめるだろう。

模型や触れられる展示が多く、体験展示物にはインストラクターもいるので、小さな子どもも安心して利用できるというのもうれしい点だ。

おすすめポイント

お食事スポット

展望レストラン「バルーン」で成田空港に離着陸する飛行機を眺めながら、機内食風ランチを食べると旅行気分が味わえる。

航空科学博物館からの

挑《ちょう》戦《せん》状《じょう》

Q.1

飛行機《ひこうき》の燃料《ねんりょう》はどこに入っているでしょう?

A：胴体《どうたい》の下側《したがわ》

B：主翼《しゅよく》の中《なか》

C：尾翼《びよく》の中《なか》

ヒントはここ!

本館西棟《ほんかんにしとう》1階《かい》「ボーイング 747 ジェットエンジン（JT-9D)」

Q.2

飛行機《ひこうき》はリサイクルされるとどんなものになる?

ヒントはここ!

本館東棟《ほんかんひがしとう》2階《かい》「NAA エコエアポートコーナー」

DATA

航空科学博物館

こうくうかがくはくぶつかん

- 千葉県山武郡芝山町岩山111-3
- 0479-78-0557
- 10：00～17：00（入館は16：30まで）
平均観覧時間：1時間30分
- 休 月曜（祝日の場合は開館、火曜日休館）
- ¥ 大人700円、中学・高校生300円、4歳～小学生200円
- 小学校中学年
- JR東関東バス・成田空港交通「航空科学博物館」下車すぐ
- 体験展示物は当日先着順の整理券が必要（有料）
- http://www.aeromuseum.or.jp/

1

2

3

1 セスナ 195、MU-2 などの飛行機やヘリコプターが整然と並ぶ屋外展示場。2 3 ボーイング 747。実物の胴体断面を展示しており、飛行機の胴体内部のしくみを見ることができる。

食品

わくわくファクトリー グリコピアCHIBA

大好きなアイスが生み出される様子が目の前に。見学通路（下）のモニターは細かい作業までしっかり映し出す。

巨大冷蔵庫に入れば パピコの気持ちに!?

誰もが知っているあのパピコの製造工程を見学して、パピコが食べられる。しかも無料という夢のような工場見学ツアー。工場見学というより美術館のような施設は広々として、工場内を見下ろすような見学通路の見やすさもうれしい。アイスクリームを容器に充填するコーナーでは、見学通路からカメラを操作して生産ラインの様子を見ることもできる。

異物混入を防ぐためのエアシャワーは強風を、マイナス10度の巨大冷凍庫内では、パピコの気持ちをそれぞれ味わえる。アイスクリームの手づくり体験（有料）にもチャレンジしたい。

1

2

1 フォトスポットの充実ぶりに思わず大人も一緒にはしゃいでしまいそう。2 全身に強い風をあてて異物を吹き飛ばすエアシャワー。

DATA

わくわくファクトリー グリコピア CHIBA

わくわくふぁくとりー ぐりこぴあ ちば

- 千葉県野田市蕃昌新田字溜台10
- 04-7127-3355
- 9：00～16：00 平均観覧時間：1時間
- 休 HPを要確認
- ¥ 無料（要予約）
- どなたでも
- 常磐道「柏IC」から30分
- 東武野田線清水公園駅（東口）から30分
- イベントは事前予約が必要
- https://www.glico.com/jp/enjoy/experience/glicopia/chiba/

わくわくファクトリー グリコピア CHIBAからの 挑《ちょう》戦《せん》状《じょう》

Q.1

10 tタンク1本《ほん》で「パピコ」は何《なん》袋《ふくろ》できるでしょうか?

ヒントはここ!

5階《かい》「エージングタンク」のコーナー

Q.2

従業員《じゅうぎょういん》が工場《こうじょう》に入《はい》る前《まえ》に行《おこな》う、異《い》物混入《ぶつこんにゅう》を防《ふせ》ぐための工程《こうてい》はいくつあるでしょう?

ヒントはここ!

クリーンルーム

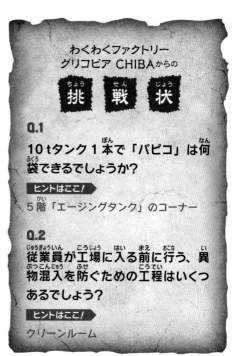

食品

わくわくファクトリー グリコピア・イースト

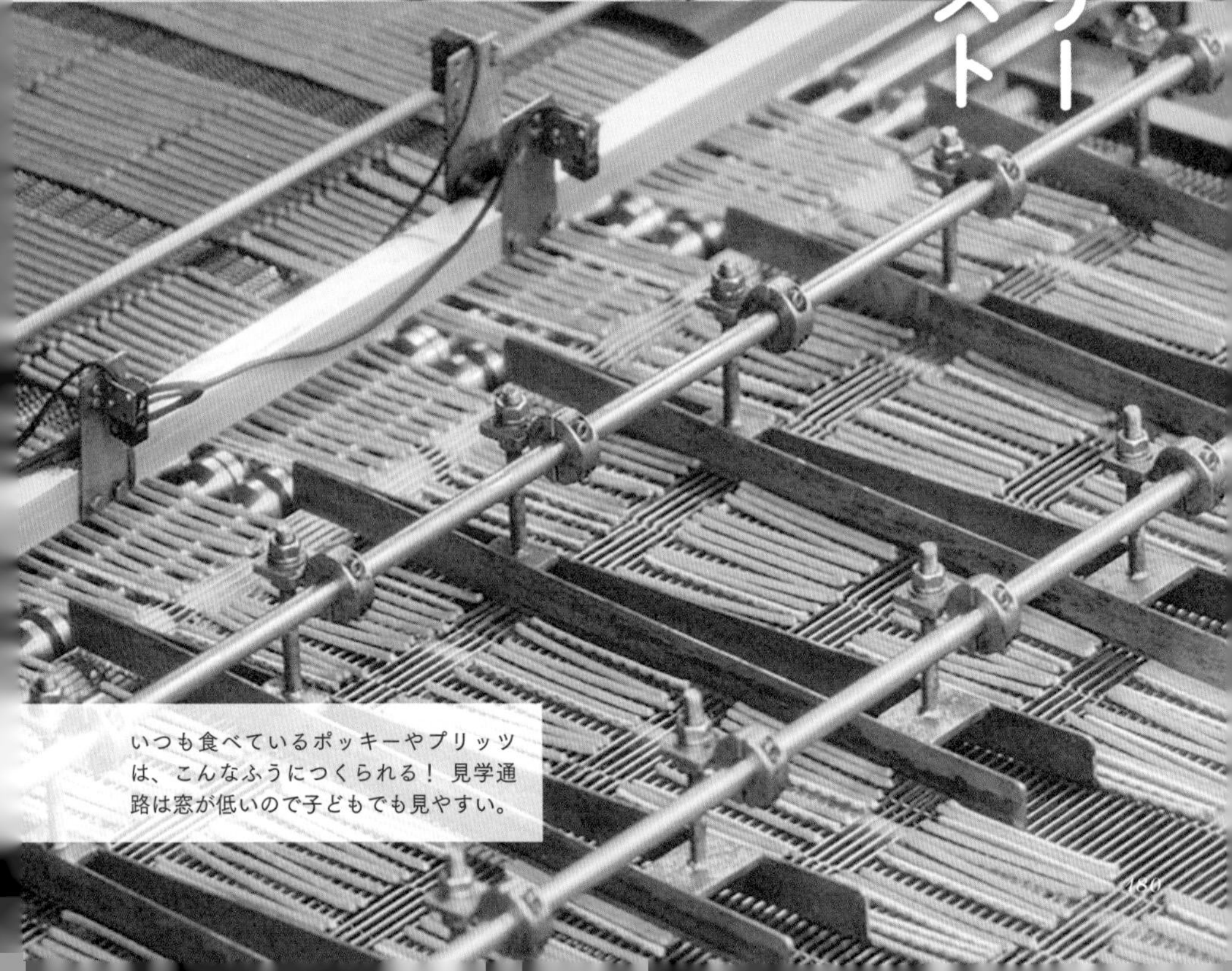

いつも食べているポッキーやプリッツは、こんなふうにつくられる！ 見学通路は窓が低いので子どもでも見やすい。

流れるポッキー！オリジナル制作も

ポッキーとプリッツ。定番おやつの秘密が、ここに来れば丸わかり。

プリッツの原料混合から仕上げ、包装までを見届けられる100メートルの生産ラインは見応えたっぷり。「ポッキーストリート」では、ポッキーの仕上げから箱詰めされてラインを流れてくる様子までを見学。

1500もの「グリコのおもちゃ」の展示や、歴史を見渡せるライブラリーもあり、商品づくりへのこだわりを感じることができる。「ジャイアントポッキー」に自分でデコレーションすれば、ユニークなプレゼントにもなりそう（有料体験）。

1 大人にとっては懐かしい、お菓子に付いてくる歴代のおもちゃを展示。1931年製の「発声映写装置つき自動販売機」の実演もぜひ。2「ジャイアントポッキー」にチョコレートペンと砂糖菓子で自分だけのポッキーを。

DATA

わくわくファクトリー グリコピア・イースト

わくわくふぁくとりー ぐりこぴあ・いーすと

- 埼玉県北本市中丸9-55
- 048-593-8811
- 9：00～16：00　平均観覧時間：1時間
- 休 金曜（一部開館する日あり、予約カレンダーを要確認）、工場メンテナンス日
- ¥ 無料（要予約）
- どなたでも
- 圏央道「桶川加納IC」から10分
- 丸建つばさ交通「グリコ工場前」下車すぐ
- イベントは事前予約が必要
- https://www.glico.com/jp/enjoy/experience/glicopia/east/

わくわくファクトリー
グリコピア・イーストからの

挑《ちょう》戦《せん》状《じょう》

Q.1

チョコレートの原料《げんりょう》となるカカオはどこでつくられる？

ヒントはここ！

1階《かい》カレッジホールの「チョコレート」の映像《えいぞう》

Q.2

グリコの名前《なまえ》の由来《ゆらい》、「グリコーゲン」って何《なに》？

ヒントはここ！

1階《かい》カレッジホールの「創意工夫《そういくふう》」の映像《えいぞう》

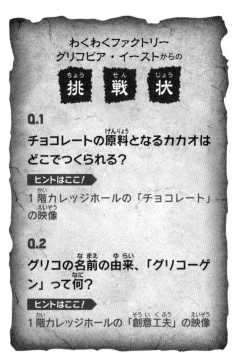

技術

造幣さいたま博物館

500円貨幣などに用いられる偽造防止技術のほか、知っているようで知らない身近な貨幣の製造過程を学ぶことができる。

レアな貨幣や勲章が勢揃いの博物館

造幣局さいたま支局の工場に隣接する博物館。工場では、普段何気なく手にしている貨幣がどのような過程や技術を経てつくられるのか、実際の製造工程を見学できる。

あまり知られていないが、造幣局は勲章の製造も請け負っている。そのため、「造幣さいたま博物館」では国家や公共に対し功労のある人・社会の各分野における優れた行いのある人の栄誉を称え授与される勲章も展示している。また、勲章製造の技術を用いたメダルなどの七宝製品も見られる。

さらに、同館では和同開珎から現代までの貨幣の歴史も学ぶことができる。さいたまと大阪の造幣局でしか見られない貴重な「竹流金《たけながしきん》」という古銭もぜひ見ておきたい。展示を見ると、さまざまなタイプの貨幣があることに気づかされる。貨幣は当時の社会情勢を反映しているので、日本の歴史を学ぶきっかけにもなる。意外と知らない貨幣の世界を学びに行ってみよう。

おすすめポイント

ミュージアムグッズ

さいたま支局限定の見学記念メダル。偽造防止技術である潜像加工を施しプルーフ仕上げで製造した人気のメダルだ。

1

2

3

4

1 隣接する工場では平日に貨幣の製造過程の一部を見学できる。2 緻密な絵柄のメダル「七宝章牌」。3 400年以上前の金貨「竹流金」。4「こども霞が関見学デー」では「お金にまつわるミニ講座」を開催。

DATA

造幣さいたま博物館
ぞうへいさいたまはくぶつかん

- 埼玉県さいたま市大宮区北袋町1-190-22
- 048-645-5899(平日)
  048-645-5990（土日祝）
- 9：00～16：30（入館は16：00まで）
  平均観覧時間：45分
- 休 第3水曜
- ¥ 無料
- 小学校中学年以上
- JR京浜東北線さいたま新都心駅から徒歩12分
  東武バス「新都心バスターミナル前」
  から徒歩3分
- 一部のイベントは予約が必要
- https://www.mint.go.jp/

造幣さいたま博物館からの

挑《ちょう》戦《せん》状《じょう》

Q.1

みんなが住《す》んでいる都道府県《とどうふけん》の貨《か》幣《へい》はどんな柄《がら》？

ヒントはここ！

記念貨幣《きねんかへい》コーナー地方自治法施行《ちほうじちほうしこう》６０周《しゅう》年記念貨幣《ねんきねんかへい》」

Q.2

貨幣《かへい》の模様《もよう》はどうやって付《つ》けているの？

ヒントはここ！

製造技術紹介《せいぞうぎじゅつしょうかい》コーナー「製造工程《せいぞうこうてい》」

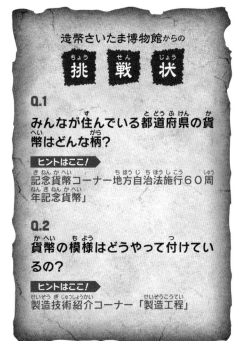

科学総合

川口市立科学館

竜巻を発生させる装置や水の中にあぶくを発生させる装置などで、身のまわりで起こる科学現象をじっくりと観察できる。

太陽を原点とした知的探求の世界へ！

観察や実験など自らの体験を通して科学的なものの見方や考え方を深めることを大切にしている科学館。科学展示室には太陽をメインテーマに、サブテーマの「力」「光」「水」「大気」「生命」を扱った約40の展示装置が並んでいるが、あえて説明書きはない。自ら体験し、発見することが目的なのだ。エリアごとにインストラクターがいて、気になることは教えてもらえるので心強い。

ほかにも、科学ものづくり教室やプラネタリウムのキッズアワーなど、子ども向けのプログラムが満載。あらゆる角度から科学の不思議を体験してみよう。

川口市立科学館からの

挑《ちょう》戦《せん》状《じょう》

Q.1

赤色《あかいろ》・青色《あおいろ》・緑色《みどりいろ》の光《ひかり》を混《ま》ぜると何色《なにいろ》になる？

ヒントはここ！

1階《かい》科《か》学《がく》展《てん》示《じ》室《しつ》「C-07 光《ひかり》をつくるボックス」

Q.2

竜巻《たつまき》の向《む》きは右回転《みぎかいてん》？ 左回転《ひだりかいてん》？

ヒントはここ！

1階《かい》科《か》学《がく》展《てん》示《じ》室《しつ》「C-14 たつまきボックス」

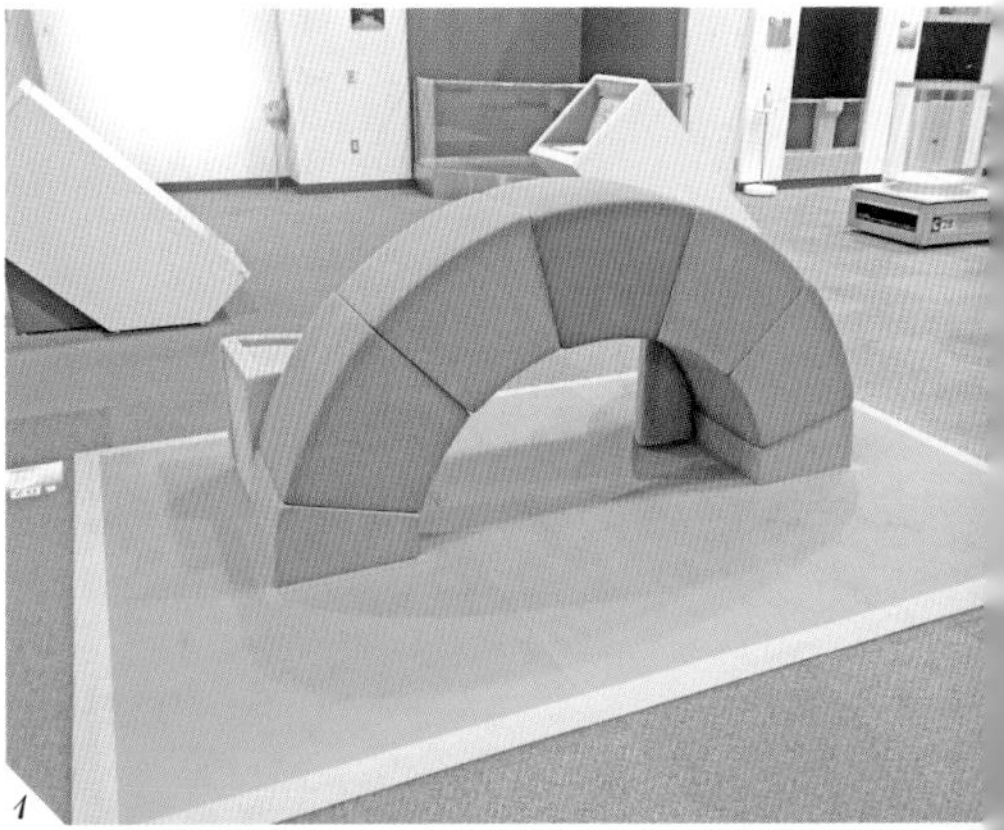

1

2

3

1 乗ったり崩したりしながら、アーチ構造はなぜ丈夫なのかを考えてみよう。2 水槽の周りに実験道具が置いてあり、自由に触れて実験ができる。3 小学生以上対象の電気工作講座も随時開催。

DATA

川口市立科学館

かわぐちしりつかがくかん

- 埼玉県川口市上青木3-12-18 SKIPシティ内
- 048-262-8431
- 9：30〜17：00（入館は16：30まで） 平均観覧時間：1時間30分
- 月曜（祝日の場合は開館、翌平日休館）、館内整理日、特別整理期間など
- 大人210円、小・中学生100円（プラネタリウムは別途料金）
- 未就学児〜中学生
- 国際興業バス「川口市立高校」下車徒歩5分
- 一部のイベントは事前予約が必要
- http://www.kawaguchi.science.museum

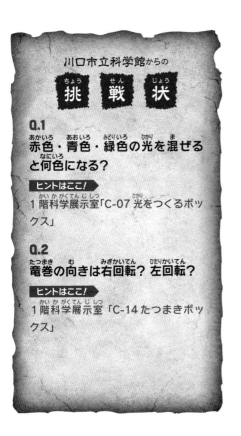

巻末特別企画

日本科学未来館館長に聞いた！

子どもの好奇心を最大限引き出す

科学館のめぐり方

「子どもが楽しく遊べて学びにもなるところに行きたい」。そんなとき、見学や体験をより実りあるものにするための、そして芽生えた興味の種を育むためのちょっとしたヒントを。東京・江東区のお台場エリアにある日本科学未来館の浅川智恵子館長に、お話をうかがった。

食品ってこうやってできるんだ！

音が見えるって面白い！

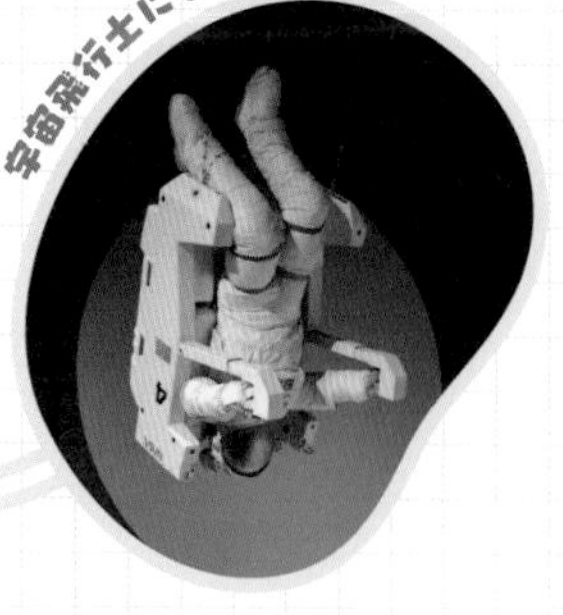

宇宙飛行士になった気分！

蛇口から出る水はどこからくる？

科学や技術がもっと身近になる場所

© 日本科学未来館

お話を聞いたのはこの人！

日本科学未来館
館長
浅川智恵子氏

大人も一緒に楽しむのが科学への興味の入口

「科学館、科学博物館の教育的・社会的意義は大きく分けてふたつあると思っています」。

ひとつには、広く人々に科学や技術について親しむ場を提供すること。訪れた人が科学や技術に関心をもち、さらには社会とどうつながっているかということまで思いを馳せる。それが科学館の目指すところだという。

ただ「面白いものがある」「すばらしい技術がある」ということだけではなく、それらが自分たちの生活とどう関係しているのかを考え、これから自分はどうしていきたいか。難しく思える相対性理論も、実はスマートフォンの位置情報確認技術と関係しているなど、少し視点を変えてみると科学や技術と自分たちの日常生活とのつながりを感じられる、と浅川館長は言う。

「大人になって学ぶ数学に新鮮な楽しさを発見したり、日常生活とのつながりを感じられたりすると、大人もまた新たな視点で科学や技術を捉えることができると思います」。

「これ面白いよ！」「こういうしくみなんだって！」と大人がワクワクしていると、子どもの興味を引きやすい。

身近な大人が楽しむ様子を見ることで、子どもの興味が広がるきっかけになることも。科学館へ行ったら、まずは子どもと一緒に楽しんでみてほしい。

子どもたちが生きる未来の課題を考える

ふたつめは、人材育成。将来の予測がますます困難で、多くの社会課題を抱える現代、正解のない不透明な未来を切り拓いていく人材を育成することはとても重要。科学館というのは、そのような未来社会を切り拓く人材を育てる場のひとつとなりうる存在だ。

「私たちは持続可能な社会を築いていく必要がありますよね。ここでも、科学や技術が社会とどう関係しているのかを知ることがそのきっかけになるのではないでしょうか。子どもたちが早い時期から自分たちが生きる社会の課題を、科学や技術の面から捉えていくことは、とても重要だと思います」。

「こういうことだったのか！」が好奇心を駆り立てる

学校教育の現場では「STEAM教育」という言葉が重視されている。サイエンス、テクノロジー、エンジニアリング、芸術やリベラルアーツ、数学の5つの領域をベースに教科横断的な学びに取り組むことで、課題を解決したり、自ら新しい価値を生み出したりしていく力を育むという動きだ。もちろんここでも科学館が果たす役割は大きい。そのためSTEAM教育に役立つプログラムを用意する科学館もある。

日本科学未来館では、浅川館長が就任した2021年に「あなたとともに『未来』をつくるプラットフォーム」というビジョンを掲げた。国連の持続可能な開発目標（SDGs）の目標年に合わせた2030年に向けたビジョンだという。「あらゆる人が立場を超えて一緒に未来をつくっていこう。そのプラットフォームになれるのが科学館だと思っています」。

科学館や博物館は、学校の理科・社会・算数・総合的な学習などで学んだことの延長線上の知識や技術があふれている。「これ知ってる！」「こういうことだったんだ！」という発見は、きっと子どもたちの好奇心を駆り立ててくれるだろう。

学びを深めるのはスタッフや家族とのコミュニケーション

科学館に行ったら、ぜひ浅川館長のアドバイスを思い出してほしい。

「日本科学未来館には、来館する方々と科学をつなぐ科学コミュニケーターがいて、皆さんに話しかけたり、質問に答えたりしています。ほかにも、そういう役割のスタッフがいる施設が増えています。科学館を訪れたら、どんどん話しかけていただきたいですね。シャイになっていてはもったいないですよ。意見や感想をいただくことはス

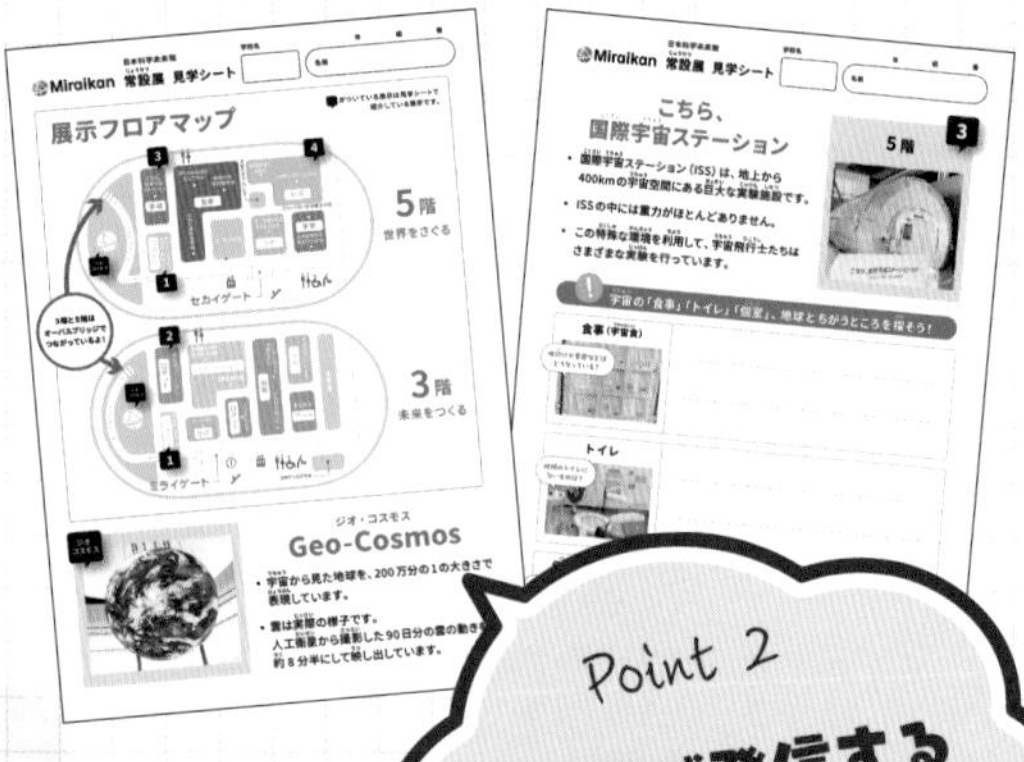

Point 2
施設が発信する情報をチェック！

ワークシートのダウンロードや実験、ワークショップなどのイベント情報など、学びがより深まるコンテンツがたくさん！

展示についての質問だけでなく、学校の授業で疑問に思ったことや自由研究の相談などでも気軽に聞いてみよう。

Point 3
館内のスタッフや親子でも積極的にコミュニケーション

タッフ皆、とてもうれしいものです。どんな質問があったとか、こんな感想をいただいたという話はスタッフの間で尽きません。また、イベントにも積極的に参加していただきたいです。

今は情報発信に力を入れている科学館や博物館が多い。訪れる前にイベントの情報やワークシートなどを入手しておくと、ワクワク感が高まったり、より深く内容を理解できたりするだろう。

「科学館で興味を持ったことを家でも身近なものに関連付けて話したり、さらにもう一度施設を訪れて考えを深めてみることもおすすめです。難しいことじゃなくていいんです。お掃除ロボットにはどんなセンサーがついているんだろう。これはどんな技術を用いているんだろう。そういったシンプルなことでも、自分と科学や技術がつながって、興味や考えがどんどん広がっていくはずです」。

「この家電、もっとこうだったら使いやすいね」「こういうモノがあると便利だね」といった身近な親子の会話にも、生活を楽しく豊かにする気づきや、発明の種が見つけられるだろう。

日本科学未来館
館長 浅川智恵子

博士（工学）。中学生の頃に両眼の視力を失いながらも英語やプログラミングを学び、先端技術を活用した視覚障害者の課題解決に取り組んできた。日本IBMで点字翻訳システムや、ウェブページを音声で読み上げる世界初の実用的な音声ブラウザを開発。現在は視覚障害者が自由に街を歩くための自律誘導ロボット「AIスーツケース」の開発など、アクセシビリティ向上をメインテーマとして研究を続けている。

ジャンル別さくいん

科学総合

気象・天文

技術

\大きい!/

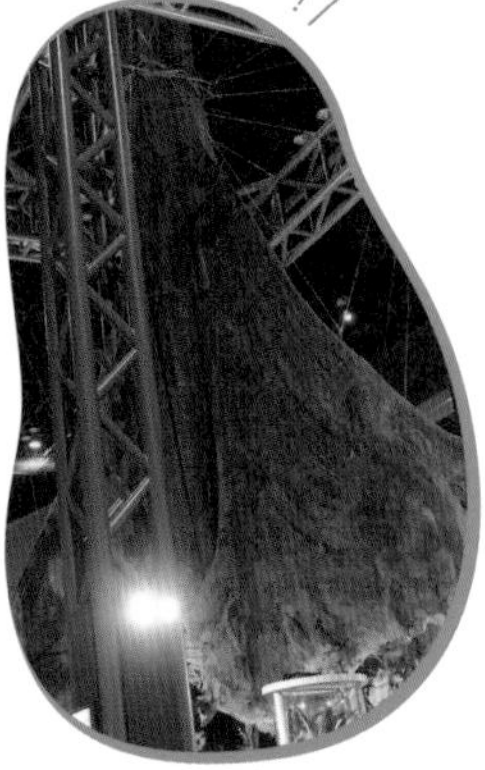

\楽しい!/

\面白い!/

STAFF

デザイン	別府 拓、奥平菜月（Q.design）
カバーデザイン	酒井由加里（Q.design）
DTP	ハタ・メディア工房株式会社
地図製作	マップデザイン研究室
校正	東京出版サービスセンター
営業	峯尾良久、長谷川みを
執筆協力	稲佐知子、川村彩佳
編集協力	澤木雅也、三ツ森陽和
撮影	森山広三
企画・構成・編集	出口圭美

なぜ？を考える力がつく
東京 科学館めぐり

初版発行　2023 年 11 月 28 日

編集発行人　坂尾昌昭
発行所　株式会社 G.B.
〒 102-0072 東京都千代田区飯田橋 4-1-5
電話　03-3221-8013（営業・編集）
FAX　03-3221-8814（ご注文）
URL　https://www.gbnet.co.jp
印刷所　株式会社シナノパブリッシングプレス

感想を
\お聞かせください!/

ISBN 978-4-910428-35-2